KURT DIETRICH SCHMIDT

GERHARD RUHBACH

Chronologische Tabellen
zur Kirchengeschichte

Beigefügt:

Synoptische Zeittafeln

bearbeitet von

HORST RELLER

6., durchgesehene und ergänzte Auflage

VANDENHOECK & RUPRECHT IN GÖTTINGEN

Die deutsche Bibliothek - CIP- Einheitsaufnahme

Schmidt, Kurt Dietrich:
Chronologische Tabellen zur Kirchengeschichte / Kurt Dietrich Schmidt;
Gerhard Ruhbach.
Synoptische Zeittafeln / bearb. von Horst Reller.
– 6. durchges. u. erg. Auf. –
Göttingen: Vandenhoeck und Ruprecht, 1999
(Grundriß der Kirchengeschichte / Kurt Dietrich Schmidt: Erg.-Bd.)
ISBN 3-525-52134-0

Schmidt, Kurt Dietrich:
Grundriss der Kirchengeschichte / Kurt Dietrich Schmidt.
Göttingen: Vandenhoeck und Ruprecht

Erg.-Bd. Schmidt, Kurt Dietrich: Chronologische Tabellen zur Kirchengeschichte.
– 6. durchges. u. erg. Auf. – 1999

6., durchgesehene und ergänzte Auflage 1999

VORWORT ZUR SECHSTEN AUFLAGE

Allen Vermutungen zum Trotz haben die "Tabellen zur Kirchengeschichte" auch seit der vierten Auflage 1979 ihren Weg gemacht und ihre Benutzer gefunden. Verlag und Herausgeber freuen sich darüber. Inzwischen ist eine neue Auflage erforderlich geworden. Stehen gebliebene Mängel wurden beseitigt, diese und jene Ergänzung - dem Forschungsstand entsprechend - vorgenommen und Tabellen wie Zeittafeln vor allem für das 20. Jahrhundert überarbeitet. Aufbau und Konzeption der Tabellen und Zeittafeln, wie sie Kurt Dietrich Schmidt und Horst Reller entworfen haben, sind jedoch weitgehend beibehalten worden. Möge der Leser weiterhin Gewinn aus diesem nützlichen Arbeitsbuch ziehen.

Bielefeld - Bethel, im September 1999 Gerhard Ruhbach

AUS DEM VORWORT ZUR ERSTEN AUFLAGE

Der Student braucht eine Anleitung, das zu erkennen, was er an Fakten und Zahlen sich billigerweise aneignen sollte; auch dann aneignen sollte, wenn er das Schwergewicht seines Studiums auf andere Disziplinen als die Kirchengeschichte legt. Als Beispiel für eine solche Arbeit ist die Auswahl gedacht. Sie beschränkt sich bewußt auf die Wiedergabe von Fakten und Stichworten. Ob einer sich unter einem solchen Stichwort etwas vorstellen kann, ist ein wesentliches Hilfsmittel für ihn selbst, zu erkennen, wieweit er schon in die Materie wirklich eingedrungen ist. Nicht der Raummangel, sondern eine didaktische Erwägung steht also hinter dieser Art. Zahlen, die in Klammern stehen, sind nur um der chronologischen Einordnung willen gebracht und nicht als Lernmaterial gedacht. Im übrigen sollte sich einmal jemand der Chronologie wieder annehmen; die Divergenzen in den Zahlenangaben der kirchengeschichtlichen Werke sind erschreckend groß.
Die chronologischen Tabellen bevorzugen den Längsschnitt. So hat der Verfasser dankbar die Möglichkeit begrüßt, dem Heft die synoptische

Zeittafel beizugeben, die Dr. H. Reller für das Evangelische Kirchen-
lexikon erarbeitet hat. Sie ist noch einmal sorgfältig durchgesehen und
geringfügig ergänzt worden. Als chronologische „Korrektur" der Längs-
schnittmethode ist sie hier sehr willkommen, zumal durch ihre Anordnung
auf herausklappbaren Tafeln eine gleichzeitige Benutzung beider Tabellen
ermöglicht werden konnte.

Hamburg 1959   Kurt Dietrich Schmidt

INHALT

§ 1. Geschichte der Kirchengeschichte

† ca. 340

Nach dem viel zu wenig beachteten Ansatz des **Lukas** in der Apostelgeschichte hat zuerst **Eusebius von Caesarea** eine Kirchengeschichte geschrieben, die bis 324 reicht.

Fortsetzer der Kirchengeschichte des Eusebius sind:

Sokrates (bis 439)

Sozomenos (bis 423)

Theodoret von Kyros (bis 423)

Philostorgius (Arianer) (bis 423)

Rufinus (in lateinischer Übersetzung) (bis 395).

1559 ff

Eine großangelegte Kirchengeschichte aus lutherischer Sicht sind die **Magdeburger Zenturien,** die unter der Leitung des *Matthias Flacius Illyricus* erschienen. Sie reichen bis zum 13. Jahrhundert.

1588 ff

Ihnen suchten die **Annales Ecclesiastici** des *Caesar Baronius* eine katholische Darstellung entgegenzusetzen. Sie reichen mit ihren Fortsetzungen bis 1585.

1699

Diese als konfessionell empfundenen Darstellungen wollte **Gottfried Arnold** durch seine „Unparteiische Kirchen- und Ketzerhistorie" ablösen.

Die Begründung einer kritischen Geschichtsforschung durch die Aufklärung kam auch der Kirchengeschichte zugute. Bahnbrechend waren

1726
(† 1755)

die Institutiones historiae ecclesiasticae des *Johann Lorenz Mosheim.*

(† 1860)

Die idealistische Geschichtsphilosophie Hegels übertrug *Ferdinand Christian Baur* auf die Kirchengeschichte, dabei den Gedanken der Entwicklung miteinführend, auch für die Frage der Entstehung des Christentums.

(† 1850)

August Neander versuchte demgegenüber die Kirchengeschichte als Geschichte des Reiches Gottes zu schreiben. Der (meist unbewußte) Einfluß des Positivismus hat dann auch für die Kirchengeschichte ein Zeitalter der Monographien herbeigeführt.

§ 4. Das Römische Reich und die hellenistisch-römische Kultur

1. Das **Zeitalter des Hellenismus**, gekennzeichnet durch die Hellenisierung des Orients und zugleich, in geringerem Grad, durch eine Orientalisierung des Griechentums, wurde heraufgeführt durch die politische Vereinigung Griechenlands mit dem Orient, die

336—323 **Alexander d. Gr.** erkämpfte. Er nahm selbst orientalische Kleidung an und beanspruchte als Nachfolger der orientalischen Großkönige göttliche Verehrung. Aber zugleich gründete er 70 griechische Städte im Orient.

Der Kulturaustausch überdauerte auch das Reich Alexanders. Aus den Diadochenkämpfen entwickelten sich drei große Monarchien:

301 **Ägypten** unter den Ptolemäern; zu ihm gehörte bis 198 auch **Palästina**;

Syrien (mit Mesopotamien) unter den Seleukiden;

Makedonien unter den Antigoniden; zu ihm gehörte bis 197 Griechenland.

2. **Hauptvertreter der griechischen Philosophie.**

427—347 **Platon,** Schüler des *Sokrates*, Begründer der Schule der Akademiker. Hauptwerke: Phaidon (Seelenlehre), Sophistes (Ontologie), Timaeus (Kosmologie), Ploiteia (Staatslehre).

384—322 **Aristoteles** von Stagira, Schüler Platons, Lehrer Alexanders d. Gr., Empirist, Realist, Logiker, Begründer der Schule der Peripatetiker. Hauptwerke: Organon (Logik), Physik (Naturwissenschaft), Metaphysik, nikomachische eudemische Ethik, Politik.

334—262 **Zenon** von Kriton (Cypern), Begründer der Schule der Stoiker, Pantheist, Kosmopolit, Naturrechtler. Schriften verloren. Jüngere Stoiker:

(† ca.50 v.Chr.)   *Poseidonius,*

(† 43 v.Chr.)   *Cicero,*

(† 65 n.Chr.)   *Seneca,*

(† 180 n.Chr.)   der Kaiser *Marc Aurel.*

341—270 v.Chr. *Epikur,* Sensualist, Hedoniker, Kritiker der Volksreligion.

205—270 **Plotin,** Begründer des Neuplatonismus, in Alexandrien.
n. Chr.   Jüngere Neuplatoniker: *Porphyrius* († Anfang des 4. Jhs.), Jamblichus († zwischen 306 und 337).

3. Durch die Eingliederung der hellenistischen Welt in das Römerreich wurde der **Hellenismus** zur **Einheitskultur des Imperium Romanum.**

192—189 v. Chr.
Krieg Roms mit Antiochos III. von Syrien, Eroberung Kleinasiens bis zum Taurus, Errichtung von Kleinstaaten unter römischer Oberhoheit.

146
Unterwerfung Makedoniens, Einnahme und Zerstörung von Korinth, dem Vorort des Achäischen Bundes. **Griechenland römisch.**

133—30 v. Chr.
Zeit der römischen Bürgerkriege.

64/63
Endgültige Aufrichtung der römischen Herrschaft über Asien durch *Pompeius*. Provinzen: Pontus, Syrien, Cilicien; daneben unabhängige Städte und einheimische Fürstentümer.

48/47 († 30)
Alexandrinischer Krieg. Rom unterstellt Ägypten der Kleopatra.

31—30
31
Krieg zwischen Antonius und Oktavian, entschieden in der Seeschlacht bei Aktium. Ägypten wird römische **Provinz. Schließung des Ringes römischer Herrschaft um das Mittelmeer.** Zugleich damit wird das Römische Reich ein Weltstaat, geeint durch eine relativ einheitliche Kultur. Symbolischer Ausdruck für den Weltstaatscharakter ist die Erhebung Oktavians zum Kaiser, seit 27 v. Chr. mit dem Titel

30 v. Chr. —14 n. Chr.
Augustus = der Erhabene, als religiöser Titel gemeint. Ende der Bürgerkriege. Pax Augustea.

§ 5. Das Judentum zur Zeit Jesu

274—198
Palästina Zankapfel zwischen Aegypten und Syrien.

198
Palästina seleukidisch mit starker Ausbreitung der hellenistischen Kultur im Lande.

168
verbietet ein Kultusedikt *Antiochos' IV.* den jüdischen Kult, die Sabbatfeier und die Beschneidung; im Tempel von Jerusalem wird ein Zeusaltar errichtet. Aufstand des Volkes unter Führung der Hasmonäer (Makkabäer).

168—129
Die Makkabäerkriege. Die Juden erkämpfen sich im Bunde mit den Chassidim freie Religionsübung.

165
Tempelreinigung.

162	Religionsfreiheit, aber Absetzung der Hasmonäer; Spaltung des Volkes in verschiedene Arten von Gesetzestreuen, später Sadduzäer und Pharisäer genannt.
142—135	*Simon Makkabaeus* erblicher Hoherpriester und Ethnarch (Fürst) der Juden, aber unter syrischer Oberhoheit.
135—104	*Johannes Hyrkanos* Ethnarch der Juden; Unterwerfung und Judaisierung von Idumaea.
129	Tod Antiochos' VII. von Syrien im Kampf gegen die Parther. **Judäa frei.**
103—76	Alexander Iannaeus König der Juden. Unterwerfung und Judaisierung von Nordgaliläa. Bruch mit den Gesetzestreuen. Nach seinem Tode Thronstreitigkeiten, die zu einem Hilferuf an die Römer führen.
63	**Pompeius erobert Jerusalem;** Judäa (ohne Idumäa) wird römischer Vasallenstaat unter den Statthaltern (Prokuratoren) von Syrien. Hyrkan, Sohn Alexander Jannais, Hoherpriester.
57—55	erfolgloser Aufstand des Makkabäers Alexander gegen die Römer.
40—4 v. Chr.	**Herodes d. Gr.** Durch Senatsbeschluß i. J. 40 zum König ernannt, kann er
37	durch die Eroberung Jerusalems die Herrschaft antreten. Vergrößerung des Landes durch Eingliederung hellenistischer Städte; Ausrottung des Hasmonäerhauses.
20/19	Beginn des Tempelbaues (62—64 n. Chr. beendet). Nach dem Tode des Herodes Zerfall seiner Herrschaft.
4 v.—6 n. Chr.	*Archelaos* Ethnarch von Judäa, Idumäa und Samaria; sein Gebiet kam dann in unmittelbare römische Verwaltung unter Prokuratoren mit dem Sitz in Caesarea.
4 v.—39 n. Chr.	*Herodes Antipas* Tetrarch in Galilaea und Peraea, der „König Herodes" der synoptischen Evangelien, abgesehen von Mt 2 und Lk 1, 5, wo sein Vater Herodes d. Gr. gemeint ist.
4 v.—34 n. Chr.	*Philippus* Tetrarch im Nordosten.
Zwischen 7 vor und 7 n. Chr.	Zensus des Legaten P. Sulpicius *Quirinius*.
26—36	**Pontius Pilatus** der 5. Prokurator von Judaea und Samaria.
28/29	**Hinrichtung Johannes des Täufers.**
38/39	Judenpogrome in Alexandrien.
41—44	*Herodes Agrippa I.*, Enkel Herodes' d. Gr., König von Caligulas Gnaden im Gebiet seines Großvaters (Apg 12).

	Nach seinem Tode wieder direkte römische Verwaltung mit sich verstärkender Spannung.
Nach 40	Tod *Philos* in Alexandrien.
49 (?)	**Edikt** des Kaisers *Claudius* gegen die römischen Juden.
66—73	**Der jüdische Krieg.**
70	Eroberung und **Zerstörung Jerusalems** durch *Titus.*
114—117	Unter *Trajan* Aufstand der Juden in Alexandrien, der Kyrene, auf Cypern, in Mesopotamien und Palästina.
132	Verbot der Beschneidung durch Kaiser *Hadrian ;* Errichtung eines Heiligtums des Jupiter Capitolinus auf dem Tempelberg.
132—135	neuer **Aufstand** der palästinensischen Juden unter *Barkochba.* Der Sieg der Römer bedeutete
135	das **Ende des Judentums in Palästina.** Jerusalem wurde vorerst in Aelia Capitolina umbenannt, eine heidnische Stadt, die kein Jude betreten durfte.
ca. 137	Tod des Rabbi *Ben Akiba,* des Schöpfers der **Mischna.**

§ 6. Jesus und das Urchristentum

	Das Geburtsjahr Jesu ist unbekannt: spätestens 4 vor Christus, wenn noch unter Herodes d. Gr. geboren (Mt 2; Lk 1,5); zwischen 7 vor und 7 nach Christus, wenn zur Zeit des Zensus des Quirinius (Lk 2); zwischen 1 vor und 1 nach Christus, wenn die Altersangabe Lk 3,23 (zusammen mit Lk 3,1) richtig ist (wenig wahrscheinlich).
28/29	**Wirksamkeit Johannes des Täufers.**
29/30	(oder 29—33) öffentliche Wirksamkeit Jesu (einjährig nach den Synoptikern, dreijährig nach Johannes).
7. April 30	(14. Nisan) (sonst 33) **Kreuzigung Jesu** wegen Gotteslästerung bzw. — für Pilatus — als ein jüdischer Kronprätendent.
ca. 30	Entstehung der christlichen Kirche.
33 (oder 35)	Steinigung des *Stephanus.*
33/35	**Bekehrung des Paulus** vor Damaskus. Chronologie nach dem Prokonsulat des Gallio in Achaja (Act 18, 12 ff.); Unsicherheitsfaktor ein Jahr. Paulus vorher Schüler des *Gamaliel.* Nach der Bekehrung dreijährige Tätigkeit in Arabien.
ca. 35	Paulus in Jerusalem, dann 14jährige Missionstätigkeit von Antiochien aus.
etwa 44	Hinrichtung des Apostels *Jakobus* durch Herodes Agrippa.
48	(oder 49) **Apostelkonzil.**

51	Abreise des Paulus nach Europa (Mazedonien).
ca. 50—52	Paulus in Korinth.
ca. 52—55	Paulus in Ephesus, falls überhaupt historisch.
56—58	Gefangenschaft in Jerusalem.
61 (oder 62)	Steinigung des *Herrenbruders Jakobus.*
ca. 60	**Enthauptung des Paulus in Rom.**
64(?)	**Martyrium des Petrus in Rom.**

§ 7. Die Ausbreitung des Christentums
in den ersten vier Jahrhunderten

vor 50 Unabhängig von der Missionstätigkeit des Paulus ist schon eine **Gemeinde in Rom** gegründet.

66 erfolgte die Übersiedlung der Judenchristen nach Pella im Ostjordanland. Durch die Apokalypse, den 1. Petrusbrief und den Briefwechsel des Plinius mit Trajan (ca. 113) ist

um 100 eine starke Gruppe **in Kleinasien,** bis nach Bithynien hin, bezeugt. Kleinasien wird zunächst das wichtigste Gebiet. Die Pastoralbriefe beweisen die Existenz der Kirche auf

um 100 **Kreta** spätestens, Papyrusfunde für dieselbe Zeit in **Aegypten.** Von Antiochien aus, wohin das Christentum sehr früh kam, gelangte es schon im Anfang des 2. Jahrhunderts nach **Edessa.**

Um 200 hat sich das dortige Königshaus der Kirche angeschlossen (nicht ganz sicher). Edessa wird das geistige Zentrum der ostsyrischen Christenheit.

Um 220 ist es auch in Persien schon verbreitet. Um dieselbe Zeit muß es in Arabien eingedrungen sein. Im **Abendland** wird es

um 150 in Gallien und in Nordafrika Fuß gefaßt haben. *Irenaeus* bezeugt

um 185 Christen in den beiden Provinzen Germanien. Für Britannien haben wir den Ursprung der Kirche in derselben Zeit anzusetzen.

Um 200 existieren also Gemeinden von Persien und Arabien bis nach Gallien (Spanien?) und Britannien hin: **die ganze Längsachse des Römerreiches** ist von ihnen durchzogen. Außerhalb des Römerreiches fand es Verbreitung zunächst nur, soweit dessen Kommerzium reichte. In Armenien gab es organisierte Gemeinden. König *Trdat* (Tiridates) machte es kurz nach 300 dort zur Staatskirche. Von

um 250

im 4. Jh.
432

dort und von Syrien aus drang es im 4. Jahrhundert nach Georgien vor. Auch in Äthiopien fand es durch Gefangene Eingang. *Patrick* beginnt seine Missionsarbeit unter den Iren, wo aber vor ihm schon *Palladius* gearbeitet hatte. Gegen seine Intention entwickelt sich die iroschottische Kirche zu einer Mönchskirche, womöglich in Verbindung zu den Druiden. (Über die Germanen-Mission vgl. zu § 19).

§ 8. Innere Krisen des frühen Christentums

1. Hauptvertreter der Gnosis.

(† 90 n.Chr.)

a) Der weiblichen Gruppe: *Simon Magus* mit seiner Begleiterin Helena; die Barbelognostiker (Nikolaiten, Barbelioten), die einen obersten Aeon weiblichen Geschlechts, Barbelo genannt, verehrten (2. Hälfte des 2. Jh.s); die Pistis Sophia (3. Jh.), eine syrische Form der Gnosis, aber nur aus Aegypten bekannt.

um 110

b) Der männlichen Gruppe: *Satornil* aus Antiochien; die Ophiten oder Naassener, genannt nach ihrem Hauptsymbol, einer Schlange; *Basilides* (bis 145 in Alexandria), Hauptschrift: Evangelium, Exegetica (= Kommentare dazu); *Bardesanes* von Edessa, Schrift: περὶ εἱμαρμένης; **Valentin** aus Alexandrien, ca. 136—165 in Rom. Schrift (vielleicht): Sophia Jesu Christi. Zur valentinianischen Schule gehörten im Osten Theodotus, im Westen Herakleon und Ptolemaeus (Brief an die Flora). Eine völlig neue Situation in der Beurteilung des Gnostizismus und dessen Schriften ist seit den Funden von Nag Hammadi (1945/46) gegeben.

† 222
um 150

† ca. 160

2. **Marcion,** aus Sinope am Schwarzen Meer stammend, 144 in Rom exkommuniziert. Schrift: Ἀντιθέσεις. Die von Marcion nach seiner Exkommunikation gegründete Sonderkirche erlag erst im 5. Jh. der kaiserlichen Ketzerbekämpfung. Nachwirkungen auf die Katharer sind wahrscheinlich.

† vor 179

3. **Der Montanismus.** 156/157 oder 172 begann ein Phryger *Montanus* in der Ekstase mit der Verkündigung neuer Offenbarungen und fand rasch Anhänger. Um 200 gab es

eine montanistische Gruppe in Rom, zwischen 202 und 207 schloß sich *Tertullian* dem Montanismus an. Reste haben sich bis ins 8. Jh. erhalten.

§ 9. Die Konsolidierung der Kirche in festen Formen

95   bezeugt *Clemens von Rom* die Auffassung, daß der **Episkopat** ein Amt ist, dem nach göttlichem Recht die Leitung der Eucharistie zusteht.

Um 115   erklärt *Ignatius von Antiochien* den monarchischen Episkopat ebenfalls für eine göttliche Anordnung. Damit ist die Entwicklung der Kirche zur Amts- und Priesterkirche inauguriert. Indem die Bischöfe zur Beratung zusammentraten, entstanden **Synoden,** zuerst in der montanistischen

um 170   Krisis bezeugt; sie bilden die erste Form eines organisatorischen Zusammenschlusses der Großkirche.

Die Berufung der Gnosis auf bestimmte Evangelien nötigte die Kirche dann zur Festlegung der in ihr gültigen Schriften; die Aufstellung eines festumgrenzten Kanons durch *Marcion* forderte eine gleiche Abgrenzung kirchlicherseits. Sie liegt erstmals bezeugt vor

um 180   im **Kanon** Muratori. Gegen die Gnosis und Marcion wurde auch die Rezeption des Alten Testaments als Bestandteil des christlichen Kanons bestätigt. Die Auslegung dieser Schriften sicherte nach *Irenaeus* die **apostolische Tradition.**

Um 200   bezeugen *Irenaeus* und *Tertullian,* daß das **Taufbekenntnis** die **regula fidei** sei. Damit hat sich die Kirche feste Lehrnormen erarbeitet. Die Forschung spricht seitdem weithin von der **Entstehung der frühkatholischen Kirche.**

Um 200   auch eine greifbare Entwicklung der **Liturgie** z.B. in *Hippolyts* Kirchenordnung.

Weitere „apostolische" Kirchenordnungen:

Mitte des 3. Jh.s   Die Didaskalia (Διδασκαλία τῶν ἀποστόλων), nur syrisch erhalten;

4. Jh.   (wahrscheinlich) die „Apostolischen Konstitutionen" in Syrien entstanden, mit starker Benutzung von Hippolyts Kirchenordnung; ein Teil von ihnen (Buch 8) sind die „Apostolischen Kanones" (= Synodalbeschlüsse).

um 520 Für das Abendland wurde entscheidend die Sammlung des *Dionysius Exiguus*, Dionysiana (collectio) genannt. Er ist auch der Vater der christlichen Zeitrechnung.

§ 10. Der Kampf des Christentums mit dem römischen Staat

49 (?) Im polytheistisch toleranten Römischen Reich war das Judentum eine religio licita. Trotzdem wurden die Juden impulsore Chresto (= Christo?) assidue tumultuantes von Kaiser *Claudius* aus Rom vertrieben.
Da die Einordnung in das öffentliche Religionswesen aber Bürgerpflicht war, wurde der Konflikt zwischen dem Staat und der Kirche unvermeidbar.

64 **Neronische Verfolgung** nach dem Brand Roms. Ergebnis der Untersuchung gegen die Christen nach Tacitus: prava et immodica superstitio et odium generis humani. Daß **Petrus** damals Märtyrer geworden ist, ist bestritten, aber wahrscheinlich. **Paulus** ist wohl schon vorher hingerichtet.

81—96 *Domitian*, Verfolgung in Rom (Konsul Flavius Clemens) und Kleinasien (Johannes-Apokalypse); unter *Trajan*

98—117 in Antiochien *(Ignatius)* und Bithynien. Das Reskript des Kaisers an *Plinius* (111/113) ergab eine spezifische Rechtsgrundlage für das Vorgehen gegen Christen (coërcitio).

156 (oder 166) *Polykarp* von Smyrna Märtyrer,

ca. 165 der Apologet *Justin* in Rom †.

177 Verfolgung in Lyon und Vienne. *Irenaeus* erhält den verwaisten Bischofsstuhl von Lyon.

202/203 Verfolgung in Ägypten und Nordafrika: Verbot des Übertritts von Christen zum Judentum.

250/251 **Decische** (= erste allgemeine) **Verfolgung** aus der Tendenz heraus, nach der Tausendjahrfeier Roms (247) das brüchig gewordene Imperium zu festigen.

254 *Origenes* an den Folgen der erlittenen Folter gestorben. Schisma in Karthago und Rom.

257/258 **Valerianische Verfolgung,** darin 258 *Cyprian* Märtyrer. Durch *Gallienus* beendet.
Novatianisches Schisma in Rom.
Eine 40jährige Friedenszeit folgte.

303—313 **Diokletianische Verfolgung.**

293 Diokletianische Reichsreform.

§ 11. Glaube, Theologie, Dogma

ca. 140	*Hermas* Pastor: 2. Buße. *Barnabas*.
ca. 160	Brief an Diognet.

ca. 150	**Romanum,** fiktive Vorform des Apostolicums: Lk 2 und Phil 2 Grundlage des 2. Artikels; im Osten 2. Kor 8 und Lk 2 mit Phil 2 Fundament des christologischen Bekenntnisses (sehr unsicher, vielleicht erst 3. Jahrhundert).

150—300	**Kämpfe mit der Gnosis,** Gegenschriften vor allem durch
† *nach 200*	*Irenaeus* (adversus haereses),
† *nach 220*	*Tertullian* (de praescriptione haereticorum), *Hippolyt* und
† *254*	*Origenes*.
140—170	**Zeitalter der frühkirchlichen Apologeten.** Quadratus, Aristides,
(† nach 172)	*Tatian:* λόγος πρὸς Ἕλληνας, Diatessaron;
(† nach 177)	*Athenagoras*,
† ca. 165	**Justin der Märtyrer:** Apologie, Dialog mit dem Juden Tryphon. **Aufnahme des griechischen Logos-Begriffes und des mittleren Platonismus.**
Um 178	heidnische **Gegenschrift**: der Ἀληθὴς λόγος des *Celsus*.

200—250	**Frühkatholische Väter.**
	Irenaeus, Schüler Polykarps, seit 178 Bischof von Lyon: Adversus haereses, Ἐπίδειξις τοῦ ἀποστολικοῦ κηρύγματος.
† *nach 220*	**Tertullian,** Jurist, sog. ökonomische Trinitätslehre, subordinatianische Christologie: Apologeticum, De praescriptione haereticorum, Adversus Marcionem, Adversus Praxean, De pudicitia u. a.
(† 235)	*Hippolyt* in Rom: Refutatio omnium haeresium; Ἀποστολικὴ παράδοσις (Kirchenordnung).
† *258*	*Cyprian* (Bischof und Märtyrer in Karthago), Ketzertaufstreit: De ecclesiae unitate, De lapsis, Briefe.
† *vor 215*	*Klemens von Alexandrien*, vielleicht Leiter einer Katechetenschule: Λόγος προτρεπτικὸς πρὸς Ἕλληνας, Παιδαγωγός, Στρωματεῖς; Τίς ὁ σωζόμενος πλούσιος.
† 254	**Origenes** (Confessor), Leiter der Katechetenschule in Caesarea: Περὶ ἀρχῶν, Hexapla, Contra Celsum.

190—300	**Monarchianer** bekämpfen die Logoschristologie als Gefährdung des Monotheismus. 1) Dynamisten bzw. Adoptianer: die beiden *Theodote* (nach 190 in Rom): Christus als Mensch Vertreter der δύναμις Gottes. *Paul von Samosata*, 260 Bischof von Antiochien, gehört nur noch uneigentlich zu ihnen, aber 268 als solcher verurteilt.

2*

2) **Modalisten:** *Sabellius* (um 200): Christus identisch mit Gott, daher seine Lehre „Patripassianismus" genannt.

ca. 260   Streit zwischen *Dionysios* von Rom und *Dionysios* von Alexandrien über die Christologie.

255—257   Ketzertaufstreit zwischen Karthago und Rom.

276 (?)   *Mani †*, der Begründer des **Manichäismus.**

318—381   **Arianischer (trinitarischer) Streit** über das Verhältnis des Sohnes zum Vater.

318   Exkommunikation des *Arius*, Presbyters in Alexandrien. Lehre: Christus vorzeitliches Geschöpf.

325   erneuert das **Konzil von Nicaea,** das erste ökumenische Konzil, vom Kaiser berufen (!), die Verurteilung und lehrt positiv: der Sohn ὁμοούσιος τῷ Πατρί. Führer der Nizäner im Streit wird **Athanasius** (nach fünfmaliger Verbannung doch in Alexandrien 373 gestorben); Führer der Gegner, meist Origenisten: *Eusebius von Nikomedien.* Erst

362   auf der Synode von Alexandrien erfolgte eine Verständigung zwischen den Homousianern (Nizänern) und den Homöusianern. Auf Grund der

(† 379)   Vermittlung der drei Kappadokier, *Basilius' d. Gr.,*

(† 390)   *Gregors von Nazianz* und

(† nach 394)   *Gregors von Nyssa,* wurde

381   auf der **Synode von Konstantinopel** (2. ökumenisches Konzil) endgültig das nizänische Dogma festgelegt. Das Bekenntnis von Konstantinopel, Nicaeno - Constantinopolitanum genannt, ist das „Nicaenum" der Liturgie.

373   *Ambrosius* Bischof von Mailand († 397), Lehrer Augustins. Schriften: Kommentare, De officiis ministrorum (Ethik), De fide, Hymnen.

354—430   **Augustin,** für fast alle theologischen Probleme bedeutsam, machte die Gnade zum Zentralthema der abendländischen Theologie. Hauptschriften: Contra Academicos, 386 (Jugendschrift); De trinitate (dogmatisches Hauptwerk); De civitate Dei (413—426); polemische Schriften: a) gegen die Manichäer: De libero arbitrio; Contra Faustum; b) gegen den Donatismus: De baptismo, Contra Gaudentium, c) gegen den Pelagianismus: De spiritu et littera; De natura et gratia. Exegetische Schriften. Autobiographisches: Confessiones (397—400); Retractationes (427).

411—431   **Pelagianischer Streit** über die Prädestination und die Fähigkeit des freien Willens. *Pelagius*, Ire(?), Vertreter

418
der Tradition und Bestreiter der Erbsünde, wurde
in Karthago und

431
durch das **Konzil von Ephesus,** das 3. ökumenische Konzil, verurteilt.

ca. 429—529
Semipelagianische Streitigkeiten über das Verhältnis von Gottes Gnade und menschlichem Verdienst, sowie von Prädestination und Präszienz Gottes. Julian Eclanum

529
entschied die Synode von Orange (Concilium Arausiacum) unter dem Einfluß des *Caesarius von Arles:* die Gnade kommt allen menschlichen Verdiensten zuvor (Semi-Augustinismus).

428—451
Christologischer Streit über das Verhältnis Christi zu seiner Menschheit.

428—431
Erste Phase: nestorianischer Streit: *Nestorius* in Antiochien betont die menschliche Natur Jesu (Maria χριστοτόκος) und eine ἕνωσις σχετική. *Cyrill von Alexandrien* betont die göttliche Natur und eine ἕνωσις φυσική. Maria θεοτόκος.

431
Das **Konzil von Ephesus** entschied monophysitisch im Sinne Cyrills.
Entstehung einer nestorianischen Sonderkirche.

448—451
Zweite Phase: eutychianischer Streit. *Eutyches* lehrte monophysitisch. Ihm trat *Leo d. Gr.* im Sinne Augustins mit einer dyophysitischen Lehre entgegen (duae naturae, una persona).

449
Synode von Ephesus entscheidet für Eutyches (von Leo Räubersynode genannt).

451
Konzil von Chalkedon (4. ökumenisches). Unter kaiserlichem Druck Entscheidung für die Zweinaturenlehre, Exkommunikation des *Dionysios von Alexandrien.* Entstehung von monophysitischen Sonderkirchen. (Ägypten, Armenien u.a.)

476—681
Monophysitische Streitigkeiten.

476
Erste Phase: Versuch des Kaisers Basiliskus, durch ein Enkyklikon Chalkedon zu desavouieren. Widerstand.

482
Versuch der Einigung durch Kaiser Zenon (Henotikon). Folge: Bannung des Ostens durch Papst Felix III.

484—519
(erstes) Schisma zwischen Westkirche und Ostkirche.

519—533
Zweite Phase: Der theopaschitische Streit. Kryptomonophysitischer Versuch: ἕνα ἐκ τῆς τριάδος πεπονθέναι σαρκί.

544—553
Dritte Phase: Der Dreikapitelstreit, beendet

553	durch **das Konzil von Konstantinopel** (5. ökumenisches). Anerkennung des Chalcedonense in cyrillischer Auslegung (Enhypostasie) unter Führung des *Leontius von Byzanz*.

Vierte Phase:

622—638	der **m o n e n e r g i s t i s c h e S t r e i t** und
638—681	der **m o n o t h e l e t i s c h e S t r e i t** über die Frage, ob Jesus Christus ein oder zwei ἐνέργειαι bzw. ϑελήματα gehabt habe; entschieden
681	durch das **6. ökumenische Konzil** in **Konstantinopel** im Sinne der Zweiwillenslehre.
787	der Bilderstreit durch das 7. (und letzte) ökumenische Konzil in Nicaea zugunsten der Bilderverehrer entschieden: τιμητική προσκύνησις, aber keine λατρεία.

ca. 500	**Dionysius Areopagita**, Pseudonym nach Act 17,34, vom Mittelalter deshalb als erster Paulusschüler verehrt, verfaßt seine mystischen, neuplatonisch-christlichen Schriften: De divinis nominibus, De mystica theologia, De caelesti hierarchia, De ecclesiastica hierarchia.

§ 12. Die Entwicklung des Mönchtums

kurz vor 300	**Antonius** geht als E r e m i t in die Wüste. Entstehung von Eremitensiedlungen.
ca. 320	**Gründung des ersten Klosters durch Pachomius** in Tabennisi (asketisches Ideal der Willenspreisgabe im Gehorsam).
ca. 360	**Basilius d. Gr.** schafft die im Osten maßgebend gewordenen Mönchsregeln (Leben in klausurierter, regelbezogener Gemeinschaft, κοινὸς βίος).
451	erklärt das K o n z i l v o n C h a l k e d o n die Klostergelübde für lebenslänglich verbindlich und unterstellt die Mönche der Aufsicht der Bischöfe.
Ende des 4. Jh.s	E i n b ü r g e r u n g des M ö n c h t u m s im A b e n d l a n d durch *Hieronymus* in Rom, *Ambrosius* in Mailand, *Augustin* in Nordafrika, *Johannes Cassianus* in Südgallien, *Martin von Tours* in Gallien.
529(?)	G r ü n d u n g des K l o s t e r s M o n t e C a s s i n o durch **Benedikt von Nursia.** Schaffung der B e n e d i k t i n e r - r e g e l: stabilitas in congregatione aus Protest gegen umherschweifende Asketen betont. Durch Aufnahme wissen-

6. Jh.   schaftlicher Arbeit wurden **Klöster** auch **Kulturmittel-punkte,** besonders durch *Cassiodorus* in Vivarium. *Papst Gregor d. Gr.*, ein starker Befürworter der Regel Benedikts, setzte die Mönche auch in der Mission ein.

590 ff.   Gründung von Luxeuil, Bregenz (St. Gallen) und Bobbio durch **Columban** d. J., mit eigener Regel, die der iro-schottischen Mönchstradition folgt: sehr strenge Askese und Disziplin, Lenkung der Gesamtkirche vom Kloster aus, asketisches Ideal der peregrinatio propter Christum und dadurch Mission, Empfehlung der Privatbeichte.

743   Die Benediktinerregel erhält Alleingeltung im Frankenreich.

§ 13. Das gottesdienstliche Leben

Ob Agape und Eucharistie ursprünglich zwei verschiedene Feiern waren oder von vornherein nur eine, ist umstritten;

um 150   bezeugt *Justin* ihre Trennung. Er bezeichnet auch schon die Darbringung der natürlichen Gaben in der **Eucharistie** als ein **Opfer,** nicht mehr nur das Loben und Danken der Christen (Hebr 13, 15. Did 14).

Um 250   verknüpft **Cyprian** diesen Opfergedanken mit dem Leiden Christi: passio Domini est sacrificium quod offerimus (ep. 63).

590—604   *Gregor d. Gr.* vollendet die Entwicklung hin zum Meßopfer: pro nobis iterum in hoc mysterio ... (unigenitus filius) immolatur (Dial. IV 58).

Das älteste christliche **Jahresfest** ist **das Passa,** wahrscheinlich schon in urchristlicher Zeit am Passa-Tag (14. Nisan) als Vigil in stellvertretendem Fasten für die sich verstockenden Juden und im Warten auf die Parusie gefeiert.

ca. 115   hat Bischof Xystus (Sixtus) I. von **Rom** dort als neue heidenchristliche Feier das **Osterfest** eingeführt als Gedächtnis an Tod und Auferstehung Jesu.

Um 155   friedlich-schiedliche Erörterung über die beiden Formen zwischen *Anicet* von Rom und *Polykarp* von Smyrna.

190/191   **Passastreit** zwischen *Viktor I.* von Rom und *Polykrates* von Ephesus. Der Anspruch Roms auf Alleingeltung seiner Feier und seines Termins wird zurückgewiesen, auch von Gemeinden des westlichen Kirchengebiets.

325 Das Konzil von Nicäa entscheidet endgültig für den römischen, also den flexiblen Ostertermin.

Das Osterfasten war zu Beginn des 2. Jh.s (Tertullian) noch beschränkt auf Karfreitag und -samstag, um 250 schon ausgedehnt auf die Karwoche (bezeugt von Dionysius von Alexandrien); Nicäa fixierte die 40 tägige Fastenzeit.

Pfingsten feierte der **Osten** zunächst als Tag der **Himmelfahrt** (erst im 4. Jh. auf den 40. Tag nach Ostern verlegt), der **Westen** als Fest der **Geistausgießung**. Auch hier setzte sich der Westen durch.

Anfang 4. Jh. **Epiphanias** als Fest der Geburt Jesu in Aegypten nachweisbar.

336 wurde es in Rom Brauch, das Geburtsfest **Weihnachten** zu feiern (Ersatz der Brumalien, des Wintersonnenfestes).

§ 14. Die Entstehung des Papsttums

Vor 49 Gründung von christlichen Gemeinden in Rom.

ca. 60 u. 64 **Hinrichtung von Paulus und** (höchstwahrscheinlich) **Petrus** dort.

95 *Clemens von Rom* entschiedener Vorkämpfer für die Rechte des kirchlichen Amtes.

ca. 115 Einführung des **Osterfestes** in Rom durch Xystus I., das sich allmählich in der ganzen Kirche durchsetzt.

ca. 115 *Ignatius* von Antiochien nennt die römische Gemeinde προκαθημένη τῆς ἀγάπης.

Um 180 **Kanon** Muratori als Bezeugung der römischen Kanonabgrenzung.

190/191 Anspruch Viktors I. im **Passastreit**, daß die ganze Kirche dem römischen Festbrauch folge. Zunächst zurückgewiesen, 325 endgültig anerkannt.

Um 200 bezeugen *Irenaeus* und *Tertullian* **Rom** die Autorität einer **apostolischen Stadt.**

217—221 **Kalixt I.** bezieht, wohl als erster, Mt 16,18 auf den römischen Bischof und wird damit implicite der **Schöpfer der Papstidee.** Tertullian und Origenes polemisieren dagegen.

ca. 217 Exkommunikation des *Sabellius* (Modalist) durch *Kalixt I.*

217/218 „**Peremptorisches Edikt**" des Kalixt: Buße für Unzuchtssünden (nicht völlig gesichert). Polemik *Tertullians* (de pudicitia), Schisma in Rom durch *Hippolyt* bis 235.

Vor 253	*Cyprian* bezeugt einen Ursprungs- und **Ehrenprimat** des **Petrus** und damit der römischen **Gemeinde** (ep. 59) bei rechtlicher Gleichheit aller Bischöfe.
255—257	**Ketzertaufstreit** unter *Stephan I.* Sein Verlangen, die römische Praxis zu übernehmen, findet Widerspruch bei *Cyprian* und in Kleinasien.
272	Kaiser *Aurelian* entscheidet im Streit um Paul von Samosata, daß dem Bischof von Antiochien die Bischöfe von Italien und der römische Bischof Gemeinschaftsbriefe senden sollten.
325	beschließt das **Konzil von Nicäa** die Gleichstellung der Patriarchen von Alexandrien, Antiochien, Jerusalem und Rom. **Rom allerdings alleiniges Patriarchat des Westens.**
330	**Gründung von Konstantinopel** als Patriarchat.
343	Die **Synode von Serdica** erkennt den Bischof von Rom als **Appellationsinstanz** bei Streitigkeiten an.
380	Das **Dreikaiseredikt** (Theodosius d. Gr.) „Cunctos populos" sieht im **Bischof von Rom** den **Hüter des rechten Glaubens**.
384—399	*Siricius I.* formt die Papstbriefe nach dem Muster der Kaiserbriefe und bezeugt als erster den Anspruch auf Identität von Papst und Petrus.
418—422	*Bonifatius I.* erklärt die sollicitudo (Fürsorgegewalt) universalis ecclesiae als dem Petrus vom Herrn übertragen.
440—461	**Leo I. d. Gr.** Volle Ausprägung der **Papstidee:** dem Nachfolger Petri ist übertragen:
	1) mit der **Schlüsselgewalt** (Mt 16, 19) das höchste **Richteramt** über die ganze Christenheit;
	2) die oberste **Verwaltung** der Kirche (Jo 21, 15);
	3) das höchste **Lehramt** (Lk 22, 32). Aber
451	erklärt das **Konzil von Chalkedon** Gleichrangigkeit der Bischöfe von Rom und Konstantinopel (can. 28), wogegen Leo protestiert.
492—496	**Gelasius I.:** Konzeption der **Zwei-Gewalten-Theorie,** Ehrenvorrang der geistlichen Gewalt.
ca. 500	**Constitutum Silvestri** (Fälschung): „Die höchste cathedra darf von niemandem gerichtet werden."
553	*Justinian I.* (527—565) bestätigt der römischen Kirche alle Rechte, die ihr in der ostgotischen Zeit zugefallen waren.

590—604	**Gregor d. Gr.** Zentralisierung des päpstlichen Besitzes führte **faktisch** schon zur Gründung des **Kirchenstaates.**
595	Protest gegen den Titel „ökumenischer Patriarch",(Konstantinopel), dagegen römischer Papst **servus servorum Dei** (Mk 10,43f.).
595	Einsatz von Benediktinern im Missionsdienst unter den Angelsachsen im Auftrag des Papstes.

§ 15. Der Islam

ca. 570 *†632*	(sonst 580) **Geburt Mohammeds.**
Seit ca. 610	weiß dieser sich als **Offenbarungsmittler,** Niederschrift im **Koran.**
622	Hedschra = **Flucht** aus Mekka **nach Medina,** Beginn der mohammedanischen Zeitrechnung.
630	Eroberung Mekkas, Unterwerfung der meisten arabischen Stämme.
638	**Besetzung Palästinas** und Syriens.
641	Eroberung Kleinasiens.
642	Einnahme Alexandriens; Sieg über die Perser.
661—750	Kalifat von Damaskus.
750—1258	**Kalifat von Bagdad.**
711	Eroberung Spaniens,
756—1031	das spanische Kalifat.
732	Rettung Europas durch *Karl Martell* in der **Schlacht bei Tours und Poitiers.**

§ 19. Die Christianisierung der Germanen

250—1000	**Christianisierung der Germanen.**
160—310	Die erste germanische **Völkerwanderung.**
Seit ca. 250	christliche Beeinflussung der **Westgoten.**
ca. 311—383	**Wulfila.**
341	Weihe zum „Bischof der Goten" durch *Eusebius von Nikomedien*; Wulfila also Arianer.
348—568	**planvolle,** durch *Wulfila* inaugurierte **Missionsarbeit** der Kleingoten **im Donauraum:** Christianisierung der **Ostgoten,** Gepiden, Heruler, Rugier, Skiren, **Wandalen,** Burgunder, Langobarden. Einfluß auch auf Bayern, Alamannen, Thüringer.

498(?)	**Übertritt** (Taufe) **Chlodwigs** und der Franken, zur katholischen Kirche.
595	Beginn der römischen Mission unter den Angelsachsen.
664	Synode von Whitby: Sieg Roms auch über die von Iroschotten christianisierten Angelsachsen.
ca. 675—754 (755?)	**Bonifatius**. Mission unter Friesen, Thüringern, Hessen und Sachsen; Aufbau einer kirchlichen Organisation unter Bayern, Hessen und Thüringern. Reform der westfränkischen Kirche. Die Kirche das Einheitsband des großfränkischen Reiches. Auf Rom zentralisierte Entwicklung der abendländischen Kirche.
768—814	**Karl d. Gr.** intensiviert die Christianisierung Deutschlands durch Eingliederung der Friesen und Sachsen.
974	Taufe König Harald Blauzahns im Kampf mit Otto II., entscheidend für die Christianisierung Dänemarks.
1000	Beschluß des Allthings von Island, das Christentum anzunehmen.
Nach 1000 († 1030)	endgültige Christianisierung Norwegens durch *Olav d. Hl.*
1103	Errichtung des nordischen Erzbistums in Lund.

§ 20. Die Christianisierung der Slawen

8. Jh.	Mission unter den Slowenen von Salzburg aus.
795/800	Christianisierung der Main- und Regnitz-Wenden unter **Karl d. Gr.**; Beginn der Arbeit unter den Karantanen (Kärnten), den Tschechen von Regensburg aus, den Abodriten und Elbslawen von Verden an der Aller her.
ca. 640	werden die Serben durch Kaiser *Heraklius* zur Übernahme der Taufe veranlaßt, aber erst
ca. 880	werden sie unter Basilius I. endgültig für die Ostkirche gewonnen.
863	Von Konstantinopel aus gehen die „Slawenapostel" **Cyrillus** und **Methodius** zu den Mähren. Cyrill vermittelt den Slawen ein eigenes Alphabet sowie Bibel und Liturgie in eigener Sprache. Beide wandten sich 867 Rom zu.
864	Fürst Boris der Bulgaren von Byzanz aus getauft. Entstehung der ersten autokephalen Ostkirche.

906	Die Eroberung Mährens durch die heidnischen Ungarn legt die Nordgrenze des ostkirchlichen Einflusses fest, da diese sich im Jahr
1000	unter *Stephan d. Hl.* im Zusammenwirken mit *Otto III.* Rom zuwenden.
955	Taufe der Großfürstin Olga von Kiew in Konstantinopel,
(† 877)	nachdem schon die Patriarchen Ignatius und Photius unter
(† 891 oder 897)	den **Russen** missioniert hatten. Entscheidend wurde
988	der **Übertritt** zum orthodoxen Glauben von **Olgas** Enkel
(† 1015)	**Wladimir.**
966	Taufe des Herzogs der Polen Miseko.
968	Gründung des Erzbistums Magdeburg durch *Otto I.*, der schon seit 948 die Bistümer Oldenburg in Holstein, Havelberg, Brandenburg, Zeitz, Naumburg für die Elbslawen begründet hatte.
1000	Gründung des Erzbistums Gnesen durch *Otto III.* und *Adalbert.*
1124—1128	Missionsreisen *Ottos von Bamberg* zu den Pommern.
1185	Beginn der Arbeit unter den Liven in Riga durch den Holsteiner *Meinhard,* fortgesetzt durch *Albert von Bremen* († 1229 als Bischof von Riga).
1255	Errichtung eines Erzbistums für das Baltikum in Riga.
seit 1230	Wirksamkeit des deutschen Ordens, besonders bei den Pruzzen.
1386	Die Taufe des Großfürsten *Jagiello* in Litauen bringt dort die endgültige Wende zum katholischen Christentum.

§ 21. Das Schisma zwischen der Kirche des Ostens und des Westens

Theologisch ist eine verschiedenartige Entwicklung zwischen Ost und West trotz allen gegenseitigen Austausches früh zu spüren. Der Kulturunterschied zwischen der griechischen und der romanisch-germanischen Welt kam seit dem 5. Jh. verschärfend hinzu; ebenso der Rangstreit zwischen den Patriarchaten von Rom und Konstantinopel. Ein **erstes Schisma** entstand

482—519	über dem **Henotikon** des Kaisers Zeno 482, das den Monophysiten entgegenkam, das sog. **akazianische Schisma.**

Unter Papst *Nikolaus I.* (858—867) kam es über dem innergriechischen Streit um den Patriarchen *Photius* zu einem neuen Schisma.

867—876

Divergenzen über Patriarchatsrechte in Unteritalien, die *Leo IX.* (1049—1054) beanspruchte, führten

1054

zum **Bruch,** der, mit theologischen Einzelfragen minderen Ranges begründet, sich ob der Grundunterschiede bis 1967 als nicht heilbar erwies.

Nebenziel der Kreuzzüge war freilich die Wiederherstellung der Einheit. Aber die Gründung des Lateinischen Kaisertums in Konstantinopel während des

1204—1261

4. Kreuzzuges unter *Innozenz III.* (1198—1216) verschärfte nur die Gegensätze.

Die Bedrohung Konstantinopels durch die Türken führte im 15. Jh. freilich zu einem Annäherungsversuch der Griechen, der

1439

während des Konzils von Florenz (Basel) sogar ein Unionsdekret zeitigte, das **F l o r e n t i n u m,** mit Anerkennung des päpstlichen Primates; aber es wurde im Osten nicht rezipiert. Die **Eroberung von Konstantinopel** machte dann

1453

weitere Unionsversuche hinfällig.

§ 22. Der Aufstieg des Papsttums in Kirche und Welt

Die politische Wirkung des arianischen Streites war im Westen die Forderung der Freiheit der Kirche vom Staat und zugleich die Unterstellung des Kaisers als eines Gliedes der Kirche unter die kirchliche Zucht. Faktisch hat sie vor

† 397

allem *Ambrosius* gegenüber Valentinian II. und *Theodosius d. Gr.* (379—395) gehandhabt. *Gelasius I.* (492—496) entwickelte daraus die **Z w e i - G e w a l t e n - T h e o r i e.** Im Zusammenbruch des weströmischen Reiches hatten zudem die römischen Bischöfe viele politische und verwaltungstechnische Funktionen wahrgenommen, die Kaiser *Justinian I.* (527—565) ihnen nach der Wiedereroberung Italiens ausdrücklich bestätigte. Das Eindringen der Langobarden 568 ff. bestärkte das werdende Papsttum noch in diesen Funktionen. Hierdurch und durch den Gegensatz zu den germanisch-arianischen Völkern (Ostgoten, Langobarden) entwickelte sich die **Gleichsetzung: katholisch = römisch.**

590—604	Papst **Gregor d. Gr.** legte durch eine zentrale Zusammenfassung des päpstlichen Besitzes faktisch den Grund für den **Kirchenstaat.** Die Schenkungen *Pippins* auf Grund der Vereinbarungen von Ponthion und Quiercy führten
756	auch rechtlich zu seiner Konstituierung. Als Ausdruck der kurialen Wünsche entstand in diesem Zusammenhang die berühmte **donatio Constantini,** die dem römischen Bischof die Wahrnehmung kaiserlicher Rechte für den Westbereich des Imperiums überträgt; sie galt im Mittelalter als echt und wurde erst von Laurentius Valla (†1457) als Fälschung entlarvt.
664	Synode von Whitby: Sieg Roms über die Iroschotten. Der Papst kann in England außergewöhnliche Rechte (Gründung von Bistümern, Ernennung von Bischöfen) wahrnehmen.
680/681	Rückschlag: Die 6. ökumenische Synode erklärt einen Lehrbrief des Papstes Honorius I. (625—638) für häretisch und exkommuniziert ihn. Papst Leo II. schloß sich 682 dieser Exkommunikation an.
722	**Bonifatius** leistet Papst Gregor II. nach seiner Bischofsweihe den Gehorsamseid der suburbikarischen Bischöfe.
747	Eine fränkische Generalsynode unterstellt sich auf Veranlassung von Bonifatius dem Papst.
754	**Übergang des Papsttums von Ostrom zum Frankenreich** unter *Stephan II.* Erneute Salbung Pippins zum König. Territoriale Schenkungen Pippins (s. oben).
800	**Krönung Karls d. Gr.** in Rom durch *Leo III.,* später als translatio imperii ausgelegt.
847/852	Die Wirren des sinkenden Karolingerreiches führten zu einer zweiten großen Fälschung, den **pseudo-isidorischen Dekretalen,** die nicht nur die irdische Oberhoheit des Papstes erneut proklamierten (papa caput totius orbis, Aufnahme der donatio Constantini), sondern auch seine kirchliche Allgewalt im Sinne des Universalepiskopates beanspruchten.
858—867	Papst *Nikolaus I.* hat sie zum ersten Mal auszuüben versucht.
	Die mönchische Reformbewegung, die mit dem Namen **Cluny** verknüpft ist und sich zu einer Kirchenreform ausweitete, hat diese Entwicklung dann gegen ihre eigentliche Absicht vollendet. Geistig auf sie gestützt hat
1073—1085	**Papst Gregor VII.** den Kampf um die libertas ecclesiae begonnen. Sein letztes Ziel aber war die **Gestaltung der Welt zur civitas Dei.**

ca. 1140   Das **Decretum Gratiani** fixierte diese Vorstellungen kir-
† 1274   chenrechtlich. Theologisch formulierte zuerst *Thomas von*
           Aquin: subesse Romano pontifici est de necessitate salutis.
           Papst *Bonifaz VIII.* (1294—1303) nahm das
1302   in die berühmte Bulle „Unam sanctam" auf, den An-
           spruch auf das politische Gebiet ausdehnend.

§ 23. Die Entwicklung der Gegenmacht, des Kaisertums

           Nach germanischem Brauch ist der Herrscher zugleich der
           Leiter des Kultes. Christianisiert ist dieser Brauch auf eng-
           lischem Boden in der Form der Salbung des Königs; damit
           behielt das Königtum zugleich seinen sakralen Charakter.
           Dementsprechend hat *Bonifatius*
751   *Pippin* (741—768) zum König gesalbt (754 von Papst
           Stephan II. wiederholt). Indem
768—814 **Karl d. Gr.** das fränkische Reich zum Universalstaat
           des Abendlandes erweiterte und zugleich die oberste
           Leitung der Kirche ausübte, schuf er eine **Theokratie**
           in der Hand des weltlichen Herrschers. (Eigenkirchen-
           recht) Papst Leo III. legalisierte sie
800   durch die Kaiserkrönung, in ihrer Form den Schein
           wahrend, als sei der Papst der translator imperii. Geistig
           steht auch hinter der Konzeption Karls d. Gr. der Wille,
           die Welt zur civitas Dei zu machen. Wenn sich die *Ottonen*
           und *Hohenstaufen* als *vicarii Dei* wußten, so lag das auf
           derselben Linie.

§ 24. Der Kampf zwischen Imperium und Sacerdotium

           Der Kampf ist engstens verflochten mit dem Auf und Ab
           des Kaisertums wie des Papsttums. Der Niedergang des
           karolingischen Reiches —
seit 830   Thronkämpfe — und die persönliche Haltung *Ludwigs des*
814—840   *Frommen* führten schon zu ersten Erfolgen der Kurie. Die
           Spaltung des Reiches
843   im Vertrag von Verdun bot den Päpsten zudem die Mög-
           lichkeit politischer Bündnisse gegen das Kaisertum. Anderer-

	seits gab der Streit römischer Parteien um die cathedra Petri
896—962	den sächsischen Kaisern Anlaß zum Eingreifen in Rom.
	Voraussetzung war die Kräftigung des Reiches durch
919—936	*Heinrich I.* und
936—973	**Otto d. Gr.**
955	Schlacht auf dem Lechfeld.
962	Kaiserkrönung Ottos d. Gr.
968	Gründung des Erzbistums Magdeburg.

Die Begründung des geistlichen Fürstentums rettete dem Kaisertum zwar die Reichseinheit, gab aber dem Papst zugleich eine gefährliche Möglichkeit, ins Reichsgefüge einzugreifen.

973—983	Otto II.
983—1002	*Otto III.*
1000	Gründung der Erzbistümer Gnesen und Gran (Ungarn).
1002—1024	Heinrich II.
1024—1039	Konrad II.
1039—1056	**Heinrich III.**
1046	Synode von Sutri, Absetzung dreier Päpste, Befreiung des Papsttums aus der Beherrschung durch den römischen Adel und Beendigung des Papstschismas. Installierung von Cluniazensern in Rom:
1049—1054	Leo IX. (Brun von Toul),
1057/58	Stephan IX.
1057	Kardinal *Humbert von Lothringen* setzt in seinen libri tres adversus simoniacos die von den Cluniazensern angefochtene Laieninvestitur der Simonie gleich.
1058—1061	*Nikolaus II.*
1059	Papstwahldekret, das den — rechtlichen — Einfluß des Adels und des deutschen Kaisers auf die Papstwahl beseitigt und diese dem Kardinalskollegium vorbehält.
1056—1106	**Heinrich IV.**
1061—1073	Alexander II.
1073—1085	**Papst Gregor VII.** Sein Programm wird entwickelt in den Dictatus Papae und in Briefen nach Deutschland: der **Papst** oberster Leiter der Kirche, Inhaber kaiserlicher Insignien, **Lehnsherr des Kaisers.**
1074	(Fastensynode) Verbot der Priesterehe.
1075	(Fastensynode) Verbot der Laieninvestitur, **Auslösung des Investiturstreites.**
1076 (Jan.)	Synode von Worms: Absetzung Gregors VII.

1076 (Febr.)	Fastensynode: **Absetzung und Exkommunikation Heinrichs IV.** Lösung der Untertanen vom Treueid.
(Okt.)	Fürstentag zu Tribur: Umschwung der deutschen Fürsten, sie fordern Lösung vom Bann binnen Jahresfrist.
1077	Kirchenbuße des Kaisers in **Canossa.** Trotzdem kommt es zum Bürgerkrieg in Deutschland, Gegenkönig *Rudolf von Schwaben.* Erfolge des Kaisers.
1084	Kaiserkrönung in Rom durch den Gegenpapst Klemens III.
1085	Tod *Gregors VII.* in der Verbannung. Seine Nachfolger kämpfen nicht mehr um die Weltherrschaft, sondern nur noch um die Investitur.
1106	Beendigung des englischen Investiturstreites *(Anselm von Canterbury)*
1122 1106—1125	**Wormser Konkordat** zwischen Calixt II. und *Heinrich V.:* in Deutschland Nominationsrecht des Kaisers, Belehnung mit dem Szepter (Verleihung der Regalien) v o r der Weihe, in Italien erst nachher.

Die Kreuzzugsbewegung,
stand unter der Leitung der Päpste, sie erscheinen so als Leiter des Abendlandes. Aber erneutes Aufstreben der römischen Adelsparteien:

1130—1138	Schisma des Anaklet.
1152—1190	**Friedrich I. Barbarossa.** Über seinem Versuch, die kaiserlichen Rechte in Italien wiederzugewinnen, kommt es zur **zweiten Phase des Kampfes** zwischen Kaisertum und Papsttum, ausgetragen um das Papstschisma zwischen Viktor IV. und
1159—1181	*Alexander III.*
1176	Sieg der mit Alexander III. verbündeten Lombarden über den Kaiser bei Legnano (Heinrich der Löwe!).
1177	Im **Frieden von Venedig** erkannte Barbarossa Alexander III. an, ohne weitere Verpflichtungen zu übernehmen.
1190—1197	*Heinrich VI.* Seine Heirat mit Konstanze, der Erbin des Königreichs Sizilien (1186), bedeutete eine p o l i t i s c h e U m k l a m m e r u n g R o m s, das darauf mit entschlossenem Kampf gegen die Hohenstaufen antwortete. Eine große Hilfe der Kurie waren dabei Erbfolgewirren im Reich nach dem frühen Tode Heinrichs: Streit Ottos IV. mit Philipp von Schwaben, dann mit
1215—1250	**Friedrich II.**

1198—1216	**Innozenz III. Dritte Phase des Kampfes:** Papst Schiedsrichter über die deutsche Kaiserkrone.
1213	Goldene Bulle von Eger: Preisgabe des Wormser Konkordates und der Lehensrechte über die geistlichen Fürsten durch Friedrich II., völlige Freiheit der Kirche von der Krone.
1215	Die **vierte** Lateransynode: Einführung der 7 Sakramente; Transsubstantiation; Pflicht zur Osterbeichte. Höchster Triumph des Papsttums.

Vierte Phase:

	Der noch folgende Kampf der Päpste gegen die Staufer hatte nur politische Ziele. Er brachte
1227	die Bannung Friedrichs II. wegen Abbruchs seines Kreuzzuges,
1245	auf dem Konzil zu Lyon erneute Bannung des Kaisers durch *Innozenz IV.* und
1268	die Hinrichtung Konradins nach seiner Niederlage in der Schlacht bei Tagliacozzo. Sizilien fiel an die Anjous. Der Sieg des Papsttums bedeutete die Ausschaltung des deutschen Kaisers aus der großen Politik für mehr als ein Jahrhundert.

§ 25. Die Kreuzzüge

Die Kreuzzugsbewegung basiert auf der Idee des „heiligen Krieges" gegen Ketzer und Heiden. Nachdem schon *Gregor VII.* (1073—1085) einen solchen geplant hatte, gelang es *Urban II.*

1095	auf der Synode zu Clermont, beinah das ganze Abendland für sie zu gewinnen und
1096—1099	den **ersten Kreuzzug** zu organisieren, der in der Eroberung von Jerusalem gipfelte.
1099	

Die Wiedereroberung Edessas durch den Emir von Mossul führte unter dem Einfluß *Bernhards von Clairvaux*

1147—1149	zum **zweiten Kreuzzug.** Er endete mit einer schweren Niederlage des deutsch-französischen Heeres. Eine Nebenfrucht war
1147	die Eroberung Lissabons; eine zweite der von Bernhard selbst proklamierte Wendenkreuzzug.

1187	Eroberung Jerusalems durch Saladin. Das löste
1189—1192	den **dritten Kreuzzug** unter Führung *Barbarossas* (1152—1190) aus, auf dem der Kaiser nach einem glänzenden Sieg bei Ikonium ertrank. Unter Mitbeteiligung des englischen Königs Richard Löwenherz und Philipp II. August von Frankreich wurde
1191	Akko erobert, Zypern besetzt. Jerusalem wiederzugewinnen gelang nicht.

Innozenz III. (1198—1216) rief daraufhin den Adel Europas erneut zum Kreuzzug auf. Dieser wandte sich zunächst nach Konstantinopel, wo das **Lateinische Kaisertum** aufgerichtet wurde, das große Bedeutung für den Orienthandel erhielt, wegen der Plünderung der Stadt und zahlloser Grausamkeiten der Kreuzfahrer das Verhältnis zur Ostkirche aber nachhaltig belastete. Das eigentliche Kreuzzugsziel wurde aufgegeben.

1204—1261	
1212	Ein Kinderkreuzzug führte Tausende in islamische Sklaverei.

Friedrich II. fuhr 1228, dem Bann zum Trotz, über See zum

1228—1229	**fünften Kreuzzug** nach Akkon aus. Durch Vertrag mit dem Sultan von Ägypten erhielt er Jerusalem, Bethlehem, Nazareth. Das Gebiet ging aber schon 1244 wieder verloren. Daraufhin unternahm *Ludwig IX.* von Frankreich
1248—1254	den **sechsten Kreuzzug**. Er wurde besiegt und gefangen. Der 7. Kreuzzug (1270) mit dem Ziel Algier endete ebenfalls erfolglos.

§ 26. Neue Regungen im Mönchtum

Unter der Führung *Benedikts von Aniane* und unter tatkräftiger Förderung *Ludwigs des Frommen* (814—840) kam es

816/817	zu einer ersten mönchischen Reformbewegung im Abendland mit dem Ziel, die Benediktinerregel in ihrer alten Strenge wieder durchzuführen.

Als Gegenbewegung gegen Eingriffe weltlicher Großer in das Klostervermögen, die auf Grund des Eigenkirchenrechts erfolgten, entstand im

10./11. Jh.	von den Klöstern *Cluny* (Burgund, gegründet 910) und *Gorze* (Oberlothringen) aus die sogenannte **kluniazen-**

3*

sische Bewegung, die zum ersten Mal Klöster zu einer Kongregation verband.

Entscheidend wurde aber, daß an Stelle der Distanz zur Welt die **Arbeit an der Welt** zum mönchischen Ideal wurde, beginnend schon bei den *Benediktinern* und den *Iroschotten* in der Form wissenschaftlicher und pädagogischer Arbeit wie missionarischer Tätigkeit.

1084 hat *Bruno von Köln* die Kartäuser aber wieder als einen weltabgewandten Orden begründet. Die Zisterzienser,

1098 gegründet,

1118 Annahme der Charta charitatis (Verfassung), waren der erste straff gegliederte Orden. Ihr geistiger Führer wurde

† 1153 *Bernhard von Clairvaux.*

Die Seelsorge wurde das Ziel der Prämonstratenser,

1120 durch *Norbert von Xanten* als eine Vereinigung von Priestern gestiftet.

Die Kreuzzüge zeitigten als neue Erscheinung den Typ der **Ritterorden.** Die Pflege der Pilger verband mit dem Waffendienst zu ihrem Schutze der

1120 gegründete Johanniterorden. Zum Schutz des Heiligen Landes entstand um dieselbe Zeit der Templerorden. Der Deutsche Orden ist dagegen vor Akko

1190 als Spitalbruderschaft gestiftet und erst 1198 zum Ritterorden erweitert; er fand seine Hauptaufgabe in Ostpreußen und dem Baltikum;

1309 wurde der Sitz des Hochmeisters auf die Marienburg verlegt.

Unter den reinen **Spitalorden** ist der älteste der Antoniusorden, der schon

1095 von Urban II. bestätigt wurde. Als Laiengenossenschaft sind

1198 die „Brüder vom Orden des hl. Geistes" gegründet, die sich über fast alle Länder Europas ausbreiteten.

Eine ganz neue Form entwickelten die **Bettelorden,** entstanden aus dem Ideal der **imitatio Christi.** Neben Seelsorge fiel ihnen bald die Pflege der wissenschaftlichen Theologie weitgehend zu. Zentral geleitet, wurden vor allem die Dominikaner zu einer päpstlichen Kampfgruppe gegen alle von der Kurie bekämpften Kräfte.

† 1226 **Franz von Assisi** wollte die ganze Christenheit wieder mit urchristlichem Geist erfüllen. Durch Eingreifen von kurialen Klerikern wurde aus der Bewegung ein **Orden,**

1223 von Honorius III. **bestätigt.** Als weiblicher Zweig entstand

1227   der Klarissenorden. — Zunächst dem Ziel der Wander-
           predigt unter den Albigensern allein gewidmet, war der
           Dominikanerorden, schon
1216   von Honorius III. bestätigt. Daneben wurde ihm
1232   die Inquisition übertragen. Ein Bettelorden war auch
           der Augustiner-Eremiten-Orden,
1256   durch Zusammenschluß italienischer Eremitengruppen ge-
           bildet, dem Luther sich 1505 anschloß.

Zu § 27. Wissenschaft und Bildung im Abendland

             Die erste Ausdrucksform christlicher Bildung im Abend-
(† 680)   land ist die epische **Christusdichtung.** *Kädmon* und
(ca. 730) *Kynewulf* sind bei den Angelsachsen zu nennen,
um 850   der Heliand bei den Sachsen,
um 870   *Otfrieds* „Christ" bei den Franken.
† 868   Der Sachse *Gottschalk* und der Alamanne
(† 912)   *Notker* folgen mit Hymnen.
             Die **Historiographie** zeitigt eine erste Blüte in
† 735   *Beda Venerabilis.* Es folgen der Langobarde
(† ca. 799) *Paulus Diaconus,*
(† 840)   der Franke *Einhart* und
(† nach 973) *Widukind von Corvey.*
             Auf dem noch ungeschiedenen Gebiet der **Philosophie**
† 754   **und Theologie** haben *Bonifatius* und *Alkuin* die angel-
(† 804)   sächsische gelehrte Bildung auf das Festland übertragen,
             irische Wandermönche die irische. In der Karolingischen
9. Jh.   Renaissance wurden die Probleme des Adoptianismus
             und der Bilder behandelt, dazu die Zuordnung des Hl.
(† 856)   Geistes zu Vater und Sohn (Filioque). *Hrabanus Maurus* wid-
             mete sich der exegetischen Arbeit. Eine große mystische
† 877   Konzeption bot *Johannes Eriugena* (auch Johs. Scotus
             genannt). Durch die Übersetzung der Schriften des
             Dionysius Areopagita (um 500) und des Maximus Confessor
             († 662) machte er diese dem Abendland zugänglich.
             Zu einer lebhaften theologischen Diskussion um augusti-
             nische Probleme kam es in der 2. Hälfte des 9. Jh.s. *Gott-*
             schalk trat für die doppelte Prädestination ein, der
             Hrabanus Maurus und *Hinkmar von Reims* energisch wider-
             sprachen, während *Ratramnus* von Corbie und andere auf
             Hinkmars Seite traten. Auch über den Ursprung der Seele
             entfachte Gottschalk einen Streit. Zwischen *Paschasius*

Radbertus und Ratramnus wurde a) die Frage der virginitas Mariae in partu strittig, b) die der Wandlung der **Abendmahlselemente.** Als *Berengar von Tours* die Wandlung erneut bestritt, trat ihm *Lanfranc* energisch entgegen, der als erster die manducatio infidelium gelehrt hat. Es gelang diesem, Papst Leo IX. (1049—1054) auf seine Seite zu ziehen, während *Gregor VII.* (1073—1085) Berengar zunächst vorsichtig deckte, ihn aber schließlich auch verurteilte. Die 4. Lateransynode hat dann die **Transsubstantiationslehre** dogmatisiert.

† 1088

1079
1215

Berengar hatte sich für seine Abendmahlslehre u. a. auf die Logik berufen, damals Dialektik genannt. Ihrer Anwendung in der Theologie wurde energisch widersprochen, z. B. von *Petrus Damiani,* einem Vertreter der Zwei-Schwerter-Theorie. Den Ausgleich zwischen den beiden oppositionellen Gruppen führte **Anselm von Canterbury** herbei im Sinne von auctoritas und ratio (fides quaerit intellectum); er wurde damit der **Vater der Scholastik.** Gleichzeitig ist er der Begründer der weitwirkenden Satisfaktionstheorie. Sein erkenntnistheoretischer Realismus führte ihn zum ontologischen Gottesbeweis.

(† 1072)

† 1109

Eine neue Stufe der Scholastik bedeutet **Abaelard.** Nachdem schon *Roscellinus* von Compiègne die Gattungsbegriffe als reine Abstraktionen angesehen hatte (Vorläufer des Nominalismus), lehrte Abaelard sie als in den Dingen bestehend (universalia in rebus); das ist ein gemäßigter Realismus. Zugleich entdeckte er, daß die Autoritäten in sich Widersprüche enthalten, die er in seinem Werk „Sic et non" aufzulösen versuchte; er hat damit die wissenschaftliche Arbeitsweise der Scholastik begründet. In Bezug auf die Rechtfertigung vertrat er eine ausgesprochene Versöhnungslehre, durch die die Liebe zu Gott in uns geweckt wird. Ein Schüler Abaelards war (nicht unbestritten) **Petrus Lombardus,** dessen Sententiarum libri IV das dogmatische Lehrbuch des Mittelalters geworden sind; er hat als erster die Siebenzahl der Sakramente fixiert. Scharf bekämpft wurde Abaelard seiner Dialektik wegen von *Bernhard von Clairvaux,* dem Begründer der am Hohenlied orientierten Jesusmystik (sog. romanische Mystik).

† 1142
(† nach 1120)

† 1160

† 1153

Eine neue Stufe der Entwicklung der Scholastik brachte schließlich die Kenntnis des vollständigen über die arabische Wissenschaft vermittelten **Aristoteles,** den als erster

(† 1245)   *Alexander Hales* OFM. heranzog, während sein Ordens-
(† 1274)   genosse *Bonaventura* stärker von Dionysius Areopagita beeinflußt war. Bewußter Aristoteliker war dagegen wieder
(† 1280)   *Albertus Magnus* OP. in Köln. Im Widerstreit zwischen
der älteren, platonisch-augustinischen Richtung und dem
neuen Aristotelismus hat dann das harmonistische Genie
† 1274   des **Thomas von Aquino** OP. den Ausgleich geschaffen
(Hauptwerke: Summa contra gentiles, Summa theologiae)
und damit zugleich Natur und Übernatur auf dem Gebiet
der Erkenntnistheorie (analogia entis), der Rechtfertigungs-
lehre und der Ethik zu vereinen gesucht nach dem Grundsatz: gratia non tollit, sed perficit naturam. Dabei tritt zugleich an die Stelle eines augustinisch geprägten ethischen
Voluntarismus ein fast neuzeitlicher Intellektualismus.
† 1308   **Duns Scotus** OFM. († in Köln) mußte dagegen,
weil er Gott selbst als wirkenden Willen faßte, auch selbst
Voluntarist bleiben. Hauptwerk: Opus Oxoniense = Sen-
tenzenkommentar.
Da die beiden großen Orden ihre Angehörigen jeweils
auf Thomas oder Duns verpflichteten, stehen sich Thomi-
sten und Skotisten fortan als getrennte Schulen gegenüber.
Indem er Ansätze des Duns Skotus weiterführte, hat
† 1349 oder   dann **Wilhelm von Occam** (Ockham) die letzte Phase der
1350   Scholastik heraufgeführt, den **Nominalismus,** der die Rea-
lität der Begriffe bestritt wie die Möglichkeit wissenschaftlicher Erkenntnis der Übernatur. Hier treten Glauben
und Wissen scharf auseinander. Die Nominalisten endeten
z. T. bei der Behauptung der „doppelten Wahrheit".

Auf dem Gebiet des **Kirchenrechts** sind wichtig geworden
für die Tradierung der altkirchlichen Bestimmungen
† ca. 540   die Sammlungen des *Dionysius Exiguus,* Dionysiana genannt, und des *Isidor von Sevilla,* die die Grundlage der
Hispana collectio bilden.
Eine wesentliche Fortbildung zugunsten des Papalismus
brachten die Pseudo-isidorischen Dekretalen, von
um 850   Ebbo von Reims in seinem Kampf mit Hinkmar wohl
(† 1025)   konzipiert. Die Sammlung *Burchardts von Worms,* meist
Decretum oder auch Brocardus genannt, berücksichtigt
dagegen nationalkirchliche Elemente.

um 1140
(† 1158)

Die entscheidende Sammlung, die später auch offizielle Anerkennung fand, wurde aber die Concordantia discordantium canonum Gratians, meist **Decretum Gratiani** genannt, die die Grundlage des **Corpus iuris canonici** wurde. Als Ergänzung kommen zu ihm hinzu: 1. der Liber extra Decretum, im Auftrage Gregors IX. (1227—1241) gesammelt; 2. der Liber sextus decretalium, 1298 von Bonifaz VIII. veröffentlicht; 3. die Constitutiones Clementinae, 1317 durch Johann XXII. anerkannt; 4. Extravagantes, d. h. päpstliche Erlasse aus späterer Zeit.

§ 28. Mystik und Volksfrömmigkeit im Mittelalter

† 877

Entscheidend für die Mystik im Mittelalter war die Übersetzung der Schriften des *Dionysius Areopagita* (um 500 lebend) und des *Maximus Confessor* durch **Johannes Eriugena;** eigenes Hauptwerk des E.: De divisione naturae. Daneben sind mystische Gedanken aber auch durch *Augustin* dem Mittelalter zugeflossen.

(† 1141)

Neuplatonisch-mystische Gedanken sind im Hochmittelalter erneuert zuerst durch *Hugo von St. Victor;* Hauptwerk: Kommentar zum Areopagiten. Sein engster Schüler war *Richard von St. Victor.* Auch die Nonnen *Hildegard von*

(† 1173, 1283) *Bingen* und *Mechthild von Magdeburg* gehören in diese Gruppe.

† 1153 Schüler Hugos war ebenfalls **Bernhard von Clairvaux,** der in seiner Jesusmystik dann aber eigene Bahnen ging. Der bedeutendste Mystiker wurde

1260?—1327 **Meister Eckhart** OP., theologisch Thomist, Vater der sog. deutschen Mystik. Hauptschriften: Opus tripartitum (scholastisches Werk), lateinische und deutsche Predigten, biblische Kommentare, Reden der Unterscheidung. Sein Hauptgedanke: „Entwerdung" des Menschen führt über die via purgativa und illuminativa zur Einung mit Gott (unio

(† 1361, 1366) mystica). Schüler Eckharts waren *Johann Tauler* OP., *Hein-*
(† 1353) *rich Seuse* und *Johannes Ruysbroek* († in Brüssel), der
(† 1384) Lehrer von Geert Groote, dem Begründer der **devotio moderna.** Hauptwerk der devotio moderna wurde die
(† 1471) I mitatio Christi des *Thomas von Kempen*, vielleicht eine Bearbeitung der geistlichen Tagebücher Grootes, aber umstritten.

In Oberdeutschland sind mystische Gedanken vor allem in den Kreisen der Gottesfreunde weitergepflegt worden. Auf Luther gewann Einfluß die „Theologia deutsch", nach einem unbekanntem Autor auch „der Frankfurter" genannt, ca. 1400 verfaßt.

12. Jh.

1215
1264

Auf dem Gebiet der **Volksfrömmigkeit** ist wichtig, daß der Kelchentzug beim Abendmahl Brauch wird (Konkomitanzlehre); in demselben Jahrhundert wird es üblich, den Rosenkranz zu beten; das 4. Laterankonzil schreibt die jährliche Osterbeichte vor; Urban IV. macht das Fronleichnamsfest allgemein verbindlich.

§ 29. Das Ketzertum und seine Bekämpfung

Die am weitesten verbreitete Sekte des Mittelalters, die der Katharer, auch Albigenser genannt, eine ursprünglich kirchenkritisch, allmählich aber radikal dualistisch eingestellte Gemeinschaft, greift z.T. auf die Bogomilen zurück, eine im 10. Jh. in Bulgarien entstandene Gruppe, die sich ab 1140 auf dem Balkan stark ausbreitete; zu derselben

um 1140

Zeit entwickelte sich daraus im Abendland das **Katharertum**, von dem Byzantiner Niketas 1167 radikalisiert, seit 1250 aber an Bedeutung verlierend.

1176

ergriff das zeitgenössische Armutsideal den Lyoner Kaufmann Valdes, der die Gemeinschaft der **Waldenser** begründete; sie wurden 1184 von Lucius III. exkommuniziert, breiteten sich aber trotzdem schnell aus.

Um 1210

trennten sich von ihnen die Pauperes Lombardi.

1184

schon hat *Barbarossa* die Häretiker mit der Reichsacht bedroht. Während aber Bischof *Wazo von Lüttich* (neben anderen)

1045

Tötung von Ketzern noch als unchristlich abgelehnt hatte, wurde

1215

die bischöfliche Inquisition begründet, die Bann und Acht für die Ketzer vorsah.

1209(—1229)

entfesselte *Innozenz III.* die greuelvollen **Albigenserkriege** gegen die Randgruppen Südwestfrankreichs.

1231

schuf *Gregor IX.* die **päpstliche Inquisition**. In Frankreich und Deutschland *(Friedrich II.!)* wurde gleichzeitig die Todesstrafe für erklärte Ketzerei rechtens.

Nach 1230   spalteten sich die Franziskaner in zwei sich heftig bekämp-
fende Gruppen: die Konventualen, die sich weithin dem
„Zeitgeist" anpaßten, und die Spiritualen, die den Impetus
des Franciscus zu wahren versuchten, aber gelegentlich auch
unter den Einfluß der **Joachimiten** gerieten, einer von
† 1201 oder   *Joachim von Floris* geistig abhängigen apokalyptischen Ge-
1202   meinschaft, die den Anbruch des „Zeitalters des Geistes" für
1260 erwartete. Große Geißlerwallfahrten kennzeich-
nen das Jahr.

(† 1204)   Eine mystisch-libertinistische Gruppe schloß sich an
Amalrich von Bena an, nach ihm **Amalrikaner** genannt.
Die „Brüder und Schwestern des freien Geistes" haben
von der Mitte des 13. Jh.s ab seine Gedanken fortgeführt.

† 1384   Im 14. Jh. erwachte eine zugleich national und kirchen-
reformerisch bestimmte Opposition gegen das Papsttum,
die von dem Oxforder **John Wiclif** ausging. Hauptschriften: De dominio divino (Unabhängigkeit der Krone vom
Papst); Trialogus (die gegenwärtige Kirche antichristlich);
Übersetzung der Bibel als goddis lawe ins Englische. Seine
Anhänger, die Lollarden, wurden seit 1401 blutig verfolgt.
Wiclifs Ideen wurden in Böhmen durch **Johannes Hus,**
1415   auf dem Konzil von Konstanz **verbrannt,** aufgegriffen,
der unter den Tschechen großen Einfluß gewann. Seine
Verurteilung rief offenen Aufruhr hervor, der sich
1419—1436   in den Hussitenkriegen entlud. Aber nur eine kleine
gemäßigte Gruppe, die **Böhmischen Brüder,** überdauerte
die Zeiten, seit 1467 als Böhmisch-mährische **Brüder-
Unität** konstituiert, gewann später Fühlung mit Luther und
wurde die Urzelle der Herrnhuter Brüder-Unität.

§ 31. Papsttum und Kirche im 14. und 15. Jahrhundert

I. Die Geschichte des Papsttums. Das ausgehende 13. Jh.
(† 1328)   brachte in den Werken eines *Augustinus Triumphus* (Summa
de potestate ecclesiastica) und *Aegidius Colonna* den papalen
Anspruch zu der bisher schärfsten Formulierung. Papst
Bonifaz VIII. nahm ihn
1302   in der Bulle **Unam sanctam** zwar auf, mußte sich aber
der Kraft des national geeinten Frankreich beugen.
Seine Nachfolger residierten sogar zwangsweise in Avignon.

1309—1377	**die Päpste in Avignon.** Frankreich nötigte sie zu einem Ketzerprozeß gegen Bonifaz VIII. und
1312	zur Aufhebung des Templerordens.

Unter *Ludwig dem Bayern* kam es

1323 ff.	zu einem letzten Zusammenstoß zwischen Kaisertum und Papsttum; damals veröffentlichte *Marsilius von Padua*
1326	seinen Defensor pacis.
1356	schloß die Goldene Bulle den Papst endgültig von der Mitwirkung bei der deutschen Königswahl aus.

Als Gregor XI. 1377 die päpstliche Residenz nach Rom zurückverlegte, kam es 1378 zu einer Doppelwahl.

1378—1415	spaltete das **Papstschisma** die ganze abendländische Christenheit in eine römische Oboedienz (Italien, Deutschland, Skandinavien, England) und eine avignonesische (Neapel, Frankreich, Schottland). Mit Hilfe der Idee des
(† 1420)	Konziliarismus, die vor allem *Pierre d'Ailly* und *Johannes*
(† 1429)	*Gerson* verfochten, gelang es
1414—1418	dem **Konzil von Konstanz** unter Führung Kaiser *Sigismunds*, das Schisma zu beenden.
1431—1449	Auf dem **Konzil von Basel** versuchte der Konziliarismus dann, die „Reform der Kirche an Haupt und Gliedern" durchzuführen, worüber es zum Bruch mit *Eugen IV.* und zu einem neuen Papstschisma kam, das die via concilii generalis diskreditierte. Eugen IV. konnte
1439	in Florenz, wohin er das Konzil verlegt hatte, ein Unionsdekret mit den Griechen abschließen, das aber
1453	durch den **Fall von Konstantinopel** unwirksam wurde.
1438	Die Reformbeschlüsse von Basel kamen Frankreich in der Pragmatischen Sanktion von Bourges zugute, die die „gallikanischen Freiheiten" proklamierte. Die deutschen Kurfürsten folgten dem Beispiel
1439	im Mainzer Akzeptationsinstrument; aber Kaiser *Friedrich III.* gab
1448	im Wiener Konkordat fast alles Erkämpfte wieder preis.

Nach Abschluß der Konzilsära verlor sich das Papsttum zum Teil an die Renaissance.

1447 ff.	**Renaissancepapsttum:** Nikolaus V. (1447—1455), Pius II. (1458—1464), *Leo X.* (1513—1521). Zum Teil rückten die Interessen des Kirchenstaates ganz in den Vorder-

grund, so bei *Julius II.* (1503—1513), oder auch die Erhebung der Familien zu fürstlichem Glanz, wie bei *Alexander VI.* (1492—1503) und *Paul III.* (1534—1549).

Im Kampf gegen den Konziliarismus erreichte *Leo X.* auf dem

1512—1517   5. Laterankonzil 1516 dessen Verdammung.

II. Die Reformbestrebungen des Spätmittelalters. Sie bewegen sich in verschiedener Richtung und sind auch örtlich verschieden gelagert. Gewisse nationalkirchliche Tendenzen sind besonders in Frankreich (Konkordat von 1516) und England unverkennbar. In Spanien hat das Konkordat von

1482   die Kirche praktisch dem Staat eingeordnet. *Ferdinand der Katholische* von Aragon und *Isabella* von Kastilien benutzten

(† 1517)   die Macht, um mit Hilfe des Kardinals Franz *Ximénez* die Kirche zu reformieren und gleichzeitig durch die Inquisition von aller Häresie zu reinigen.

In vielen **Orden** bildeten sich nicht nur reformierte Klöster, sondern ganze Reformkongregationen. In Deutschland griff die Windesheimer Kongregation, die die devotio moderna pflegte, über ihren ursprünglichen Kreis der Augustiner-Chorherren hinaus. Die Bursfelder Kongregation der Benediktiner, begründet von *Johannes*

(† 1479)   *Busch*, ist z. B. von ihr angeregt. Die Erneuerung der
(† 1524)   Augustiner-Eremiten ging von *Johannes Staupitz* aus. Für Italien ist die Kongregation von Santa Giustina in Padua, 1412 begründet, zu nennen, dazu die von Subiaco; in Österreich Melk an der Donau.

Auf dem Gebiet der **Theologie** ist die Rückkehr zu Augustin in Italien wichtig. Eine nichtscholastische „positive" Theologie fand neben Thomismus und Nominalismus Verfechter.

§ 32. Renaissance und Humanismus

1265—1321   **Dante Alighieri** (Hauptwerk: Divina comedia, De monarchia) hat mit seiner bewußt italienischen Einstellung einen wesentlichen Beitrag zu der neuen Bewegung geliefert. Auf dem Gebiet der Kunst kündigt sie sich in *Giotto*

(† 1374)   an. Ihr erster Repräsentant war aber *Francesco Petrarca*.

Die Schule von Florenz war im 15. Jh. platonisch bzw. neuplatonisch ausgerichtet, womit man aber Paulus zu koordinieren suchte. Ihre bedeutendsten Vertreter waren *(† 1499, 1494) Marsilio Ficino* und *Pico della Mirandola*.

In Padua orientierte man sich wieder an Aristoteles. *(† 1525)* Hauptvertreter ist *Pietro Pomponazzi*.

Unter den historisch oder politisch kritischen Geistern *(† 1457)* sind bedeutsam *Laurentius Valla* (Declamatio de . . . Con- *(† 1527)* stantini donatione) und *Niccolò Macchiavelli* (ll principe).

In Spanien wurde unter dem Protektorat des *Ximénez* Alcalá der Mittelpunkt des Humanismus (Komplutensische Polyglotte).

In Frankreich wurde das Königshaus der Sammelpunkt, besonders der Hof Margaretes von Navarra. Jakob *(† 1536) Faber Stapulensis* mit seinen Bibelkommentaren (Glossen) ist sein bedeutendster Vertreter. *Calvin* ist vom französischen Humanismus stark beeinflußt.

In England ist John *Colet* in Oxford durch die Floren- *(† 1538)* tiner stark angeregt. Ihm schloß sich *Thomas Morus* an (Utopia); sie zogen auch Erasmus herüber. In Cambridge *(† 1535)* wurde *John Fisher* bahnbrechend.

Für die Niederlande ist charakteristisch die Verschmelzung der devotio moderna mit dem Humanismus, die vor allem *(† 1498)* in Deventer erfolgte *(Alexander Hegius)*. Dadurch ist auch 1469(?)—1536 Desiderius **Erasmus** wesentlich geformt worden. Hauptschriften: Enchiridion militis Christiani (1503), 1505 Herausgabe der Annotationes des Laurentius Valla zum NT, Encomion Moriae (1509), 1516 Edition des griechischen NT, Diatribe de libero arbitrio (1524).

In Deutschland werden zunächst die oberdeutschen *(† 1530)* Städte Träger des neuen Bildungsideals: *Willibald Pirk-* *(† 1547) heimer* in Nürnberg, *Konrad Peutinger* in Augsburg, *Jakob* *(† 1522) Wimpfeling* in Schlettstadt und vor allem **Johannes Reuch-** † 1522 **lin** in Stuttgart. Um *Konrad Mutian* in Gotha sammelte sich ein Kreis, dem neben Luthers Freund *(† 1523) Georg Spalatin* auch *Ulrich von Hutten* angehörte, der die Epistolae obscurorum virorum herausgab.

Durch Philipp **Melanchthon,** den Neffen Reuchlins, Georg Spalatin, Johannes **Bugenhagen** und andere ergab sich eine enge sachliche Verbindung zwischen der humanistischen Bildung und dem reformatorischen Anliegen.

§ 34. Luthers geistige Entwicklung bis 1518

1483—1546	**Martin Luther,** geboren am 10. November in Eisleben, gestorben am 18. Februar 1546 eben dort, besuchte nach der Mansfelder Stadtschule die Schule der Brüder vom
1497	gemeinsamen Leben in Magdeburg und von
1498—1501	die Lateinschule in Eisenach.
1501—1505	war er Student an der artistischen Fakultät in Erfurt, promovierte
1505	zum Magister artium und begann zugleich das Studium der Jurisprudenz. Plötzlich, am
17. 7. 1505	trat er in das Kloster der **Augustiner-Eremiten** in Erfurt ein.
1507	empfing er die Priesterweihe und begann das Studium der Theologie im Sinne eines gemäßigten Nominalismus.
1508	erging seine Versetzung nach Wittenberg. Das Jahr
1510/11	führte ihn in Ordensgeschäften nach Rom.
1511	erfolgte die endgültige Übersiedlung nach Wittenberg.
1512	dort **Promotion zum Dr. theol.** und Professor für Bibelwissenschaften.

An **Vorlesungen** hielt er

1509	die über die Sentenzen des Petrus Lombardus,
1513—Frühjahr 1515	die erste Psalmenvorlesung,
1515/16	die Römerbriefvorlesung,
1516	Galaterbrief,
1517/18	Hebräerbrief.

In denselben Jahren studierte er weiter Augustin. Auch mystische Schriften (Bonaventura, Tauler, den Frankfurter, wohl auch Dionysius Areopagita) hat er gelesen.

1512	wurde er Subprior seines Klosters,
1515	Distriktsvikar seines Ordens.

Der Zeitpunkt seiner **reformatorischen Wende** ist umstritten. Während R. Seeberg und Karl Holl sie noch vor der ersten Psalmenvorlesung ansetzten, gehen andere, z. B. Ernst Wolf und Ernst Bizer, entsprechend dem großen Selbstzeugnis Luthers von 1545 auf 1518/19 herab. Auf jeden Fall bedeutet seine neue Auffassung von der iustitia Dei (Röm 1, 17) nur den Abschluß einer längeren

Entwicklung, die ihn immer neue Einsichten hatte gewinnen lassen, wobei neben *Augustin* und *Staupitz* (devotio moderna) die Heilige Schrift selbst seine Hauptlehrerin war. Am

31. Okt. 1517 ließ er wahrscheinlich vom Pedell der Universität seine **95 Thesen** De virtute indulgentiarum an die Tür der Schloßkirche in Wittenberg anschlagen. H. Volz gibt irrtümlich den 1.11. 1517 als Datum des Thesenanschlags an und übersieht dabei, daß das Allerheiligen-Fest in der Regel schon am Vortag (entweder um 12^{00} oder um 16^{00}) aus Gründen der Beichtmöglichkeit begann. Die Zweifel, die E. Iserloh am Thesenanschlag überhaupt angemeldet hatte, konnten inzwischen, z.B. von H. Bornkamm, widerlegt werden.

§ 36. Die Durchführung der Reformation in Deutschland

I. Von Wittenberg bis Worms. 1517—1521

Auf *Tetzels* Gegenthesen antwortete Luther

1518 mit dem „Sermon von Ablaß und Gnade". Auf dem Generalkonvent seines Ordens in Heidelberg gewann er in demselben Jahr mit seiner Disputation über den freien Willen *Johann Brenz* (Württemberg) und *Martin Bucer* (Straßburg).

1497—1560 Auch kam 1518 Philipp **Melanchthon** nach Wittenberg.
Juni 1518 wurde in Rom der **Ketzerprozeß** eröffnet. Rücksicht auf die Kaiserwahl führte aber zu einem vorherigen Verhör durch *Cajetan* in Augsburg. Das Ergebnis war Luthers Appellation an ein allgemeines Konzil im November.

1519 kam es über neue Thesen *Ecks* zur **Leipziger Disputation.** Sie brachte Luther die Freundschaft vieler Humanisten ein, z.B. von *Lazarus Spengler* und *Ulrich von Hutten.* Durch diesen trat auch die Reichsritterschaft auf seine Seite. Er selbst gewann Klarheit in der Ekklesiologie.

Von großer Wirkung waren Luthers Schriften vom Jahre

1520 „An den christlichen Adel deutscher Nation", De captivitate Babylonica ecclesiae, „Von der Freiheit eines Christenmenschen", „Sermon von den guten Werken". Im Juni erging die **Bannandrohungsbulle** „Exsurge Domine", die Luther am

10. Dez. 1520 mit ihrer öffentlichen **Verbrennung** vor dem Elstertor in Wittenberg beantwortete.

1521 **1519—1556**	Die Bannbulle „Decet Romanum Pontificem" vom 3. Januar 1521 führte zu seiner — nach damaligen Maßstäben völlig unüblichen — Vorladung vor den **Wormser Reichstag** und zur Verhängung der **Reichsacht** über ihn durch **Karl V.** im Wormser Edikt. Die Verurteilung Luthers durch Papst und Kaiser beendet die erste Phase der deutschen Reformationsgeschichte.

§ 37. Die Durchführung der Reformation in Deutschland

II. Von der Acht zum Nürnberger Anstand. 1521—1532

1521—1526	Der 1. französische Krieg hinderte den Kaiser vorerst, die Acht durchzuführen. Luther selbst war von seinem
1521/22	Kurfürsten *Friedrich dem Weisen* zunächst auf der **Wartburg** verborgen worden. Die Muße nutzte er zur Abfassung der Schrift De votis monasticis, des ersten Teils der Kirchenpostille, sowie zur **Übersetzung des Neuen Testaments.** (Septembertestament).
1521	erschien auch die erste Ausgabe von **Melanchthons Loci communes.**
1522	In demselben Jahr begannen *Karlstadt* und *Zwilling* in Wittenberg mit kirchlichen Neuerungen, die schließlich zu einem Bildersturm führten. Daraufhin kehrte Luther nach Wittenberg zurück und dämpfte durch die berühmten Invokavitpredigten (9.—16. März) den Aufruhr.
1522	Auf dem **Nürnberger Reichstag** ließ Papst *Hadrian VI.* ein Bekenntnis der Schuld des Papsttums durch den Nuntius *Chieregati* verlesen. Der Reichstag verlangte ein Konzil in Deutschland binnen Jahresfrist.
1489(?)—1525	*Thomas Müntzer*, u.a. Prediger und Reformer in Allstedt und andernorts.
1523	schuf Luther die Grundlage für den **Aufbau eines evangelischen Kirchentums** in den Schriften: „Daß eine christliche Gemeine Recht und Macht habe, Prediger zu berufen" (Pfarrordnung), Leisniger Kastenordnung (Finanzen, Sozialreform), Von Ordnung Gottesdiensts in der Gemeine (Kirchenjahr).
1524	Als der Nürnberger Reichstag zur Durchführung des Wormser Edikts wieder nichts entschieden hatte, schloß der päpstliche Nuntius *Campegio* die süddeutschen katholischen

1525	Territorien zum Regensburger Bündnis zusammen; folgten ihnen norddeutsche Territorien im Dessauer Bund. Die evangelischen Reichsstände schlossen daraufhin
1526	das Bündnis von Gotha. Grundlage der territorialrechtlichen **konfessionellen Spaltung Deutschlands.**
1525	**Luthers Bruch mit den Schwärmern,** besonders *Karlstadt* und *Thomas Müntzer* („Wider die himmlischen Propheten").
1525	Wiedertaufe *Balthasar Hubmaiers* (1528 in Wien verbrannt)
1525	**Bauernkrieg.** Luther: „Ermahnung zum Frieden auf die 12 Artikel der Bauernschaft in Schwaben", „Wider die mörderischen und räuberischen Rotten der Bauern", „Ein Sendbrief von dem harten Büchlein wider die Bauern".
1524/25	Streit zwischen **Erasmus und Luther.** Erasmus 1524: Diatribe de libero arbitrio; Luther 1525: De servo arbitrio.
1525	am 13. Juni **Luthers Heirat.**
	Unter dem Eindruck des
1526—1529	zweiten französischen Krieges beschloß der **1. Reichstag von Speyer**
1526	das Edikt, das die Evangelischen als Rechtsbasis für die Durchführung der Reformation in ihren Gebieten ansahen.
1526—1530	die Kursächsische Kirchen- und Schulvisitation (Luther 1526: Deutsche Messe, Melanchthon 1527: Visitationsartikel, 1528: Unterricht der Visitatoren). In Hessen:
1526	Kirchen- und Zuchtordnung der Homberger Synode,
1527	Gründung der ersten evangelischen Universität Marburg.
1526—1528	der **1. Abendmahlsstreit** zwischen Luther und Zwingli.
1526	Luther: Sermon vom Sakrament des Leibes und Blutes Christi;
1527	Zwingli: Amica exegesis; Luther: Daß diese Worte „das ist mein Leib" noch feststehen; Zwingli: Daß diese Worte „das ist mein Leib" ewig den alten Sinn haben werden;
1528	Luther: Das große Bekenntnis vom Abendmahl; Zwingli: Über Luthers Buch „Bekenntnis" genannt.
1527	Sacco di Roma, Gefangennahme Papst Clemens' VII.
1529	Sieg des Kaisers im 2. französischen Krieg. Im Unterschied zur Auffassung Karls V. veranlaßte der Bruder des Kaisers Erzherzog Ferdinand den **2. Reichstag von Speyer,** den Beschluß von 1526 wieder aufzuheben, was zur **Protestation** der evangelischen Reichsstände führte. (Daher die Bezeichnung: Protestanten.)

	Der Zusammenschluß zwischen den Wittenbergern und Oberdeutschen scheiterte aber zunächst
1529	am **Marburger Religionsgespräch.**
1530	berief der Kaiser den Augsburger Reichstag. Ihm überreichte die Mehrzahl der evangelischen Stände die **Confessio Augustana,** im wesentlichen von *Melanchthon* auf Grund der Marburger, Schwabacher und Torgauer Artikel entworfen. *Zwingli* verfaßte die Ratio fidei. Vier oberdeutsche Städte übergaben die Confessio Tetrapolitana. Aber nur die CA wurde vom Reichstag entgegengenommen.
	Als Gegenschrift ließ der Kaiser die Confutatio ausarbeiten, der Melanchthon die Apologie entgegenstellte.
1531	schlossen sich die evangelischen Reichsstände zum **Schmalkaldischen Bund** zusammen. Angesichts der Türkengefahr sah sich der Kaiser dadurch zum Einlenken veranlaßt.
1532	Er gewährte im **Nürnberger Anstand** ihnen Duldung bis zum Konzil.

§ 38. Die Durchführung der Reformation in Deutschland

III. Religionskrieg und Religionsfriede. 1532—1555

Die Jahre nach 1532 brachten neben der Konsolidierung der bestehenden Landeskirchen eine weitere Ausbreitung der Reformation.

1534	wurde Württemberg gewonnen (Erhard Schnepf, Johann Brenz),
1534	erhielt Pommern seine Kirchenordnung (Bugenhagen).
1534/35	kam es zur **Katastrophe des Täufertums in Münster.** Die Eroberung der Stadt führte dort zur Wiederherstellung des Katholizismus, überall zu blutiger Verfolgung der
(† 1561)	Täufer. Doch gelang *Menno Simons* deren erneute Sammlung zu gewaltloser Form *(Mennoniten).* Zu derselben Zeit
(† 1542/43)	begann *Sebastian Franck* seine Wirksamkeit für einen reinen
(† 1561)	Spiritualismus, den auch *Kaspar Schwenckfeld* verfocht.
	Dafür kam es zwischen Luther und den oberdeutschen Städten *(Buzer)*
1536	in der **Wittenberger Konkordie** zu einer Verständigung über die Abendmahlslehre, die Luther bis zu seinem Tod gewahrt hat.
1536—1538	3. französischer Krieg. Dieser und die fortdauernde Türkengefahr nötigten den Kaiser

1539	im Frankfurter Anstand die Duldung zu verlängern. Da das Konzil nicht zustande kam, schritt er sogar zu ernsthaften **Ausgleichsverhandlungen** in der Form von **Religionsgesprächen:**
1540	in Hagenau (ergebnislos),
1540/41	in Worms (einig in der Erbsünde),
1541	in Regensburg, wo sich *Melanchthon* und *Contarini* über die Rechtfertigungslehre einigten, aber an der Transsubstantiationslehre wieder entzweiten.
1540	Doppelehe Philipps von Hessen und daraus folgende Schwächung der protestantischen Position.
1543	erkannte der Kaiser im Klevischen Krieg um Geldern die innere Unsicherheit des Schmalkaldischen Bundes und faßte den Entschluß zum Krieg mit ihm.
1542—1544	4. französischer Krieg. Durch dessen siegreiche Beendigung war der Weg für den Kaiser frei. Zugleich konnte nun die Kurie dem Konzilsdrängen des Kaisers nicht mehr widerstehen und berief
1545—1563	das **Konzil von Trient,** das
1545/47	während seiner ersten Periode die Themen: Schrift und Tradition, Erbsünde, Rechtfertigung dogmatisch neu fixierte.
18.Febr.1546	**Tod Luthers in Eisleben.**
1546/47	**Schmalkaldischer Krieg,** endgültig
1547	durch die Schlacht bei Mühlberg für Karl V. entschieden. *Johann Friedrich von Sachsen* und *Philipp von Hessen* wurden gefangengesetzt. Ernste neue Spannungen zwischen dem Kaiser und dem Papst, die
1547	zur Verlegung des Konzils nach Bologna führten (dort 1549 suspendiert), nötigten den siegreichen Kaiser, die Religionsfrage selbständig zu regeln. Er tat es
1548	im **Augsburger Interim,** dem aber vielerorts Widerstand entgegengesetzt wurde. Für Kursachsen erarbeitete *Melanchthon* als Sonderregelung das Leipziger Interim.
1551/52	Zweite Periode des Konzils von Trient unter Teilnahme von Evangelischen; suspendiert wegen des Kriegszuges Moritz' von Sachsen gegen den Kaiser. Vom Kaiser enttäuscht, erhob sich *Moritz von Sachsen*
1552	und nötigte Karl V. im Passauer Vertrag die Rück-

4*

nahme des Interims ab, sowie Frieden bis zum nächsten
Reichstag. Dieser führte

1555   zum **Augsburger Religionsfrieden.** Er befestigte das
Landeskirchentum in Deutschland.

§ 39. Die Entwicklung des Luthertums zur Orthodoxie

1497—1560   **Philipp Melanchthon,** geboren in Bretten, seit
1518   in Wittenberg. Hauptwerk: Loci communes theologici,
            von denen drei aetates unterschieden werden: 1521, 1535,
            1543 (letzte Ausgabe 1559). Verfasser der

1530/31   **Confessio Augustana und der Apologie.**
1540   Confessio Augustana variata.
1548 ff.   wegen seiner Haltung dem Interim gegenüber stark ange-
            feindet. Sein System der Wissenschaften war fast zwei Jahr-
            hunderte lang die Grundlage der evangelischen Universi-
            täten.

1548—1577   **die gnesiolutherischen Streitigkeiten** zwischen Philip-
            pisten und Gnesiolutheranern.

1549 ff.   der adiaphoristische Streit aus Anlaß des Leipziger
(† 1575) Interims. *Matthias Flacius Illyricus* gegen Melanchthon;
1550 ff.   der osiandrische Streit um die effektive oder forensische
            Rechtfertigungslehre. Joachim Mörlin gegen Andreas Osi-
            ander.

1551 ff.   der majoristische Streit über die Notwendigkeit der
            guten Werke. Nikolaus von Amsdorf gegen Georg Major.
1556—1560   der synergistische Streit. Johs. Pfeffinger und Victorin
            Strigel gegen Flacius Illyricus. Verketzerung des Flacius
            ob seiner Erbsündenlehre.

1552 ff.   Zweiter Abendmahlsstreit, ausgelöst von Joachim
            Westphal; er führte zur **Trennung zwischen Calvinismus
            und Luthertum.** Die Philippisten (Kryptokalvinisten)
            wurden in mehreren Territorien calvinisch (Pfalz, Nassau,
            Bremen, Anhalt).

1577   wurden durch die **Formula Concordiae** die innerluthe-
            rischen Gegensätze beigelegt, obwohl nicht alle Landes-
            kirchen sie übernahmen. Sie, bzw. das

1580   veröffentlichte **Konkordienbuch,** leitete das **Zeitalter der
            lutherischen Orthodoxie** ein. Deren Hauptvertreter
(† 1586) waren: *Martin Chemnitz* (Examen Concilii Tridentini),

(† 1616)	*Leonhard Hutter* (Compendium locorum theologicorum),
(† 1637)	*Johann Gerhard* (Loci theologici, Confessio Catholica),
(† 1686)	*Abraham Calov* (Institutiones theologiae). Eine neue Phase
(† 1656)	in ihr löste *Georg Calixt* aus durch seine analytische Methode und vor allem durch seine Irenik (Consensus quinquesaecularis):
1645 ff.	synkretistische (calixtinische) Streitigkeiten.

Neben der Theologie ist in dieser Zeit wichtig die Ausgestaltung des evangelischen **Landeskirchentums:**

1539	Konsistorium in Wittenberg,
1553	in Württemberg.
1556	Episkopalsystem = Theorie der reichsrechtlichen Übertragung der Bischofsgewalt auf die Landesherren in Passau 1552 bzw. Augsburg 1555.
1615	Restitutionsidee *Th. Reinkings* = Ableitung des landesherrlichen Kirchenregiments aus Melanchthons Theorie von der custodia utriusque tabulae.

† 1541	Von den Vertretern der radikalen Reformation sind wichtig der Arzt *Paracelsus* (Theophrast von Hohenheim) mit seinem Kampf gegen das „Mauerchristentum" und für die Sozial-
(† 1588)	ethik, der Spiritualist *Valentin Weigel* und vor allem **Jakob**
† 1624	**Boehme,** dualistischer Philosoph und Mystiker, Wegbereiter des kirchenkritischen Pietismus. Hauptwerk: Aurora oder die Morgenröte im Aufgang, 1612.
	Als **Reformtheologen** sind ebenfalls Wegbereiter des
† 1621	Pietismus geworden *Johann Arndt* (Vier [bzw. Sechs] Bücher
(† 1675)	vom wahren Christentum, 1605 ff.), *Heinrich Müller*
(† 1661)	(Rostock) und *Theophil Großgebauer* (Wächterstimme aus dem verwüsteten Zion).

§ 40. Die Ausbreitung des Luthertums außerhalb Deutschlands

Skandinavien

1536	endgültige Einführung der Reformation in Dänemark und damit in dem mit Dänemark vereinigten Norwegen, Island und Südschweden. Krönung des Königs *Christian III.* und Aufstellung der Kirchenordnung durch *Bugenhagen.*
1527	gestattete in Schweden der Reichstag von Westerås die reformatorische Predigt. In Finnland wurde *Mikael*

Agricola entscheidend, der mit der Übersetzung des NT
ins Finnische 1548 zugleich den Grund für die finnische
Schriftsprache legte.

Osteuropa

1525   Umwandlung des Deutsch-Ordenslandes Preußen in ein
weltliches Herzogtum und Einführung der Reformation
durch *Albrecht von Brandenburg.*

1523   Reformatorische Predigt in Riga, wodurch auch Livland
und Estland gewonnen wurden.

1561   Kurland ebenfalls lutherisch.
In Polen hatte die Schwäche der Zentralregierung zur
Folge, daß die großen Adelsgeschlechter sich je verschiedenen Konfessionen zuwandten. Die Folge war schon

1570   ein Unionsversuch im Consensus von Sendomir.
In Böhmen wurde die deutsche Bevölkerung vielfach
lutherisch; die Brüderunität trat schon vorher in freundschaftliche Beziehungen zum Luthertum; ähnlich in Mähren.
In Ungarn entschieden, wie in Polen, die Magnaten die
Religionsfrage; seit

1543   Eindringen der Confessio Helvetica, Anerkennung des
Calvinismus 1564.
In Siebenbürgen kam es unter dem dortigen Sachsen

(† 1549)   *Johann Honter* seit 1543 zu einem fast vollständigen Sieg
des Luthertums und zur Aufrichtung einer lutherischen
Kirche, (Annahme der CA 1572).

1561   wurde unter den Slowenen eine evangelische Kirche aufgerichtet.

Westeuropa

Hier hat das Luthertum nur in den Niederlanden
wirklich Fuß gefaßt. Schon

1523   gab es hier die ersten lutherischen Märtyrer. Doch setzte
sich in der 2. Hälfte des 16. Jh.s der Calvinismus durch.
Ähnlich ging es in Frankreich.
In Spanien und Italien sind vielfältige Ansätze durch
die Inquisition erstickt.

§ 41. Zwingli, Calvin und der reformierte Protestantismus

1484—1531   **Huldrych Zwingli,** Reformator der deutschen Schweiz.
Auf Grund von zwei Disputationen (Zwinglis „67 Schlußreden") wurde

1523	die Reformation in Zürich durchgeführt, die dann auf Bern, Basel *(Oekolampad)*, St. Gallen, Schaffhausen, Glarus und Graubünden übergriff und auch in Süddeutschland Boden gewann (Straßburg, Konstanz, Memmingen, Lindau),
1530	„Ratio fidei" Zwinglis.
1526 f.	Abendmahlsstreit mit Luther (Schriften s. S. 49).
1529	Versuch eines gesamtevangelischen Bündnisses, gescheitert am Marburger Religionsgespräch.
1531	Tod Zwinglis in der Schlacht bei Kappel.
	Sonstige wichtige Schriften Zwinglis: Commentarius de vera ac falsa religione (1525), De providentia dei (1529). Nachfolger Zwinglis in Zürich wurde *Heinrich Bullinger.*
1566	verfaßte er die Confessio Helvetica posterior.
1509—1564	**Johannes Calvin,** Reformator des französischen Sprachgebiets, seit 1528 unter dem Einfluß der Reformation; der Zeitpunkt der „subita conversio" ist umstritten (1529?).
1536	Hauptschrift „Christianae religionis institutio" (weitere wichtige Ausgaben 1539, 1559).
1536	durch *Wilhelm Farel* in Genf festgehalten,
1538	dort ausgewiesen, durch *Martin Buzer* nach Straßburg geholt,
1541	Rückkehr nach **Genf** und Ordnung des kirchlichen (und staatlichen) Lebens durch die Ordonnances ecclésiastiques. Großer Einfluß auf die evangelischen Kirchen in Westeuropa.
1549	Versuch einer Einigung des Schweizer Protestantismus durch den Consensus Tigurinus (= Einigung mit Zürich); sie scheitert
1552 ff.	am **2. Abendmahlsstreit.** Hauptschriften Calvins (außer den genannten): Instruction et Confession de la foy (1537), Responsio ad Sadoletum (1539), Consensus Genevensis de aeterna Dei praedestinatione (1552).
1553	Verbrennung des Antitrinitariers *Michael Servet.*
1559	Gründung der Genfer Akademie, des geistigen Zentrums der reformierten Kirchen.
1566	Calvins Nachfolger *Theodor Beza,* Vertreter eines supralapsarischen Prädestinatianismus, beendet mit Bullinger zusammen durch die Confessio Helvetica posterior den Aufbau des reformierten Kirchentums.

In **Frankreich**, wo seit 1522 die evangelische Bewegung in humanistischen Kreisen Anhänger gefunden hatte, voll-

	zog sich etwa seit 1541 der Übergang zum Calvinismus.
1559	fand die erste Nationalsynode in Paris statt (Confessio Gallicana, Discipline ecclésiastique). Der Übertritt hoher Adelshäuser führte zu dessen Politisierung (*Ludwig* und *Anton von Condé, Caspar von Coligny*). Die Folge waren
1562—1598	acht **Hugenottenkriege.**
1572	Bartholomäusnacht.
1598	gewährte *Heinrich IV.* im **Edikt von Nantes** den Calvinisten Duldung und bürgerliche Gleichberechtigung, der ausdrückliche Versuch eines paritätischen Staates. (In Siebenbürgen gab es schon 1568 eine staatsrechtliche Regelung mit 4 rezipierten und einer tolerierten Religion. Sie ist älter als das Edikt von Nantes, geht über dessen Parität hinaus und ist von längerer Dauer.) Hauptschwerpunkte des Protestantismus waren im Westen und Südwesten La Rochelle, Saumur (Akademie), Nîmes, Montauban (Universität), Montpellier (Universität), dazu im Osten das damals württembergische Montbéliard (Mömpelgard), im Nordosten Sedan.
	In den **Niederlanden** wurde durch die Synode von Antwerpen
1566	die reformierte Kirche organisiert (Confessio Belgica),
1571	fand die erste Nationalsynode in Emden statt.
1579	erklärten die Nordprovinzen in der Union von Utrecht ihre politische Selbständigkeit, der Calvinismus wurde Staatsreligion. Mit der Ausbildung der Föderaltheologie
(† 1669)	durch *Johannes Cocceius* entwickelte er einen eigenen Typus,
(† 1676)	dem freilich in *Gisbert Voet* ein puritanischer Präzisismus zur Seite trat.
	In **Schottland** erlitten die seit den 20er Jahren nachweisbaren Evangelischen
1547	eine schwere Niederlage in St. Andrews;
1557	schloß der Adel sich zum Covenant zusammen und erreichte
1560	die Errichtung einer reformierten Staatskirche durch das Parlament. Führer und Organisator der presbyterianischen
(† 1572)	Kirche war *John Knox*. Auch in England faßte der Calvinismus Fuß (vgl. § 42). Nach dem Ausbruch der dortigen Revolution hat
1646	die gemeinsame **Westminstersynode** das Westminsterbekenntnis beschlossen, das das gemeinsame Bekenntnis der schottischen und nordamerikanischen Presbyterianer geworden ist.

In **Westdeutschland** fand der eigentliche Calvinismus nur in Ostfriesland und den rheinischen „Gemeinden unter dem Kreuz" Eingang. In der Pfalz, Nassau, Bremen, auch in Anhalt verschmolz er mit der philippistischen Tradition,

1563

für die der von *Zacharias Ursinus* und *Caspar Olevianus* geschaffene **Heidelberger Katechismus** praktisch zugleich zur Bekenntnisnorm wurde.

§ 42. Begründung und Konsolidierung der anglikanischen Kirche

† 1384

Ermöglicht durch eine starke nationalkirchliche Bewegung und durch die Tätigkeit der Lollarden (*John Wiclif*) löste **Heinrich VIII.**

1534

durch die **Suprematsakte** die englische Kirche organisatorisch von Rom und machte sich selbst zu ihrem „supreme head", ohne ihren „katholischen" Charakter anzutasten. Aber unter *Edward VI.* setzten sich reformatorische Gedanken durch und führten

1549
(*† 1551*)

zum **Book of Common Prayer** und, mit unter dem Einfluß *Martin Bucers* in Cambridge,

1552

zu den „42 Artikeln", einem Bekenntnis wesentlich calvinischen Gepräges.

1526

schon war die **Bibel** durch *William Tindale* (Studium in Wittenberg) ins Englische **übersetzt.**

Die katholische Reaktion unter *Mary Tudor* (1553—1558), verheiratet mit Philipp II. von Spanien, blieb eine Episode, da Mary kinderlos starb.

1558—1603

erfolgte unter **Elisabeth I.** die Konsolidierung der englischen Kirche als einer romfreien Nationalkirche, die als solche Uniformität erstrebte:

1559

Uniformitätsakte.

1563

erhielt die Kirche in den **39 Artikeln,** einer Bearbeitung der 42 Artikel von 1552, ihr endgültiges Bekenntnis.

(*† 1600*)

Richard Hooker prägte weithin ihren Charakter. Die außenpolitische Bedrohung wurde

1588

durch die Katastrophe der **Armada** abgewandt, einer Niederlage Philipps II. von Bedeutung für den gesamten Protestantismus.

Gegen die katholischen Bestandteile des englischen Kirchentums erhob sich aber schon unter Elisabeth die streng reformierte Gegenbewegung des **Puritanismus,** dessen liturgische und ethische Tendenzen *Thomas Cartwright* zum verfassungsrechtlich akzeptierten Presbyterianismus erweiterte, den er als göttlich geboten ansah.

(*† 1603*)

(† 1610)   Demgegenüber erklärte Erzbischof *Richard Bancroft* die Episkopalverfassung als gottgewollt und *William Laud*, Erzbischof 1633—1645, suchte sie kompromißlos durchzuführen. Der Gegensatz entlud sich

1640—1662   in der **englischen Revolution,** die

1642   zur Beseitigung der bischöflichen Verfassung schritt und die kirchliche Neuordnung der

1643—1647   Westminstersynode übertrug. Diese Wendung nutzten die **Independenten** zur Einführung der vollen Religionsfreiheit. Ihr Führer **Oliver Cromwell,**

1653—1658   **Lordprotektor von England,** suchte, zur Macht gelangt, zunächst durch das **Parlament der Heiligen** (Barebone-Parlament) 1653 das Reich Gottes aufzurichten. Nach dem Scheitern des Versuches blieb die Religionsfreiheit mit Ausschluß der Katholiken und der Antitrinitarier. Verschiedene Gruppen sammelten sich seit

1654   in der „Gesellschaft der Freunde", meist **Quäker** genannt,

(† 1691)   um *George Fox*. Daneben erstarkten die schon seit

1610   in England nachweisbaren **Baptisten.**

Außenpolitisch arbeitete Cromwell, getragen von einem hohen Sendungsbewußtsein für England, energisch für den Zusammenschluß aller protestantischen Mächte.

1662   erneuerte das Parlament nach seinem Tode durch die Uniformitätsakte die Episkopalkirche, während die Könige Karl II. und Jakob II. den Katholizismus wiedereinzuführen suchten.

1688   ermöglichte aber nach dem Sturz der Stuarts die **Toleranzakte** Wilhelms III. von Oranien auch den Nonkonformisten die Existenz unter einigen Rechtsbeschränkungen (Glorious Revolution).

§ 43. Die innere Erneuerung der katholischen Kirche als Grundlage der Gegenreformation

Vorschläge zur Reform der deformierten Kirche gab es seit dem 13. Jh. in Fülle, auch praktische Reformen in einzelnen Orden auf Grund der Besinnung auf die Gründungszeit. Die eigentliche katholische Reform geht aber auf zwei geistige Bewegungen zurück, nämlich

(† 1384)   1. auf die **devotio moderna,** begründet von *Geert Groote ;* durch sie sind z. B. geistig beeinflußt:

Papst Hadrian VI. und Kaiser Karl V.,

Erasmus und durch ihn weite Kreise des Humanismus,

Thomas von Kempen (Imitatio Christi) und durch ihn Ignatius von Loyola, und viele andere;

Johannes von Staupitz und durch ihn Martin Luther;

2. auf den **Humanismus,** der mit seinem Grundsatz „zurück zu den Quellen" die Bibel, sowie Hieronymus, die klassische Antike und Augustin stark in den Vordergrund rückte.

(† 1517)   Auch *Ximénez de Cisneros,* der Reorganisator der Kirche in Spanien unter den „katholischen" Königen Ferdinand von Aragonien und Isabella von Kastilien, ist von den beiden genannten Bewegungen berührt gewesen.

In Italien spaltete sich der Humanismus in drei Gruppen auf:

a) eine rationalistisch bestimmte. Die Antitrinitarier Michael Servet (1553 unter Calvin hingerichtet) und Fausto

(† 1604)   Sozzini, der Begründer des Sozinianismus, sind dafür typisch;

(† 1565)   b) solche, die evangelisch wurden: *Bernardino Occhino,*
(† 1565)   vorher Generalvikar des Kapuzinerordens; *Paolo Vergerio* (1535 als päpstlicher Nuntius bei Luther), *Petrus Martyr*
(† 1562)   *Vermigli ;*

c) eine innerkatholische Reformgruppe, die „die alte Wahrheit in einem neuen Gewande" bieten wollte. Dazu gehört das „Oratorium der göttlichen Liebe" mit seinen Kreisen in Rom, Genua, Venedig; der Kreis um *Juan Valdés* in Neapel und um *Vittoria Colonna* in Rom. Die führenden

(† 1542)   Persönlichkeiten waren: *Gasparo Contarini,* 1541 Teil-
(† 1547)   nehmer am Regensburger Religionsgespräch; *Jacobo*
(† 1543)   *Sadoleto* (vgl. Calvin); *Gian Matteo Giberti.*

Die beiden genannten geistigen Bewegungen sind neben der Eigenart der Gründer auch die Quellorte der **neuen Orden.**

1. Der **Jesuitenorden,** von **Ignatius von Loyola** (1491— 1556)

1540   (Jahr der Bestätigung durch Paul III.) gegründet. Hauptwerk die **Exercitia spiritualia.**

2. Die Theatiner, von *Pietro di Caraffa* (Papst Paul IV.)
und Gaëtano di Thiene

1524   als Kongregation von Weltpriestern gegründet;

1528   3. die Kapuziner, eine Abspaltung von den Franziskanern.

Zu einer universalkirchlichen Erscheinung zusammen-
gefaßt wurden diese Bewegungen durch

1545—1563   **das Konzil von Trient.** Durch seine Lehrdekrete erneuerte es die innere Selbstgewißheit der katholischen
Kirche, fixierte durch sie freilich zugleich ihren anti-
protestantischen Charakter.

1546   Sessio IV: Schrift und Tradition, Sessio V: Erbsünde,
1547   Sessio VI: Rechtfertigung, Sessio VII ff.: Sakramente.
Durch seine Reformbeschlüsse organisierte es die
Kirche von unten her neu als Seelsorgegemeinschaft. Das
Resultat war zugleich eine Stärkung des Papsttums.

1564   Bestätigung der Konzilsbeschlüsse durch *Pius IV.*, Einführung der Professio fidei Tridentinae, des Index librorum
prohibitorum.

1566   Der Catechismus Romanus des Jesuiten Petrus Canisius und
1568   das Breviarium Romanum sind neue Einheitsbänder für
die katholische Kirche.

Durch die Aufnahme der tridentinischen Anregungen
seitens der Päpste und Bischöfe ist trotz nicht geringen
Widerstrebens mancher Staaten eine ziemlich weitgehende
Reform der katholischen Kirche erreicht.

1582   **Kalenderreform** Gregors XV.
Als kirchlich sehr bedeutsam erwies sich die

1622   erfolgte Errichtung der Congregatio de propaganda fide
(meist **Propaganda** genannt), eine organisatorische Zusammenfassung der gesamten katholischen Mission.

§ 44. Der Kampf der Gegenreformation

Der Kampf der katholischen Kirche um die Wieder-
gewinnung der verlorenen Gebiete ist eng verkoppelt
gewesen mit innen- und außenpolitischen Bestrebungen
der Staaten und insbesondere mit dem Kampf der Habs-
burger um die Vorherrschaft in Europa. Das macht die

Verhältnisse in der Zeit von 1555—1685 ungewöhnlich kompliziert.

(† 1597) In **Deutschland** wurde die Tätigkeit der Jesuiten entscheidend, die in *Petrus Canisius* einen hervorragenden Theologen bekamen. Ein Programm für die Durchführung der Gegenreformation (der Katholizismus spricht von „Katholischer Reform") hatte schon

1554 *Ignatius von Loyola* entworfen.

In Bayern und Baden-Baden führte Albrecht V. seit
1559 die Katholisierung durch,
1608 auch in der Reichsstadt(!) Donauwörth.

In Köln scheiterte der Versuch des Erzbischofs Gebhard Truchseß von Waldburg,
1580—1583 sich der evangelischen Kirche zuzuwenden.

In Alt-Österreich hat Ferdinand II. nach
1598 den Protestantismus zum Erliegen gebracht. Doch mußten sein Sohn Rudolph II. und dessen Bruder Matthias den Evangelischen in den Nebenländern Ungarn, Mähren,
1609 Schlesien, Böhmen (Böhmischer Majestätsbrief) Zugeständnisse machen.

Die Wiedererstarkung des Katholizismus führte politisch
1608 zum Abschluß der **Protestantischen Union** unter Führung *Friedrichs IV. von der Pfalz*, worauf die Katholiken
1609 mit der Gründung der **Katholischen Liga** unter *Maximilian von Bayern* antworteten. Durch eine Verletzung des Majestätsbriefes kam es in Böhmen
1618 zum Aufstand, der den Krieg der beiden Bündnissysteme gegeneinander auslöste.

1618—1648 **Dreißigjähriger Krieg.** Die Böhmen wählten Friedrich V. von der Pfalz zum König, Ferdinand II. (1619—1637) verbündete sich mit Spanien, der Liga und dem evangelischen Kursachsen.

1620 Schlacht am Weißen Berge, Niederlage *Friedrichs V.*, Rekatholisierung Böhmens, der Oberpfalz, die zu Bayern kam, und der Rheinpfalz. Unterwerfung Norddeutschlands durch *Wallenstein* und *Tilly*.

1629 forderte der siegreiche Kaiser im Restitutionsedikt Rückgabe aller eingezogenen geistlichen Güter und Herrschaften. In dieser äußersten Bedrohung des Protestantismus griff **Gustav Adolf** von Schweden ein, konnte zwar
1631 die Einnahme Magdeburgs durch *Tilly* nicht mehr verhindern, siegte aber bei Breitenfeld, worauf sich Kur-

1632

1648

sachsen ihm anschloß. Trotz seines frühen Todes in der **Schlacht bei Lützen** hat er den Protestantismus in Deutschland gerettet. Das politische und militärische Ringen zwischen Schweden und Frankreich gegen Habsburg und Spanien zog sich aber noch Jahre lang hin. Erst beendete es **der Westfälische Friede;** er dehnte die reichsrechtliche Anerkennung auf die Reformierten aus, für die geistlichen Güter wurde 1624 als Normaljahr deklariert; das bedeutete Wiederherstellung der Rheinpfalz. Vom Frieden ausgeschlossen wurde Österreich mit einer Sonderregelung für Schlesien.

1629

1685

1709

In **Frankreich** widersprach das Edikt von Nantes mit seinen Sonderrechten für die Reformierten so sehr den Prinzipien des absoluten Regimes, daß Richelieu im Gnadenedikt von Nîmes es revidierte. Ludwig XIV. verfügte die totale **Aufhebung des Ediktes von Nantes,** was nach Niederschlagung des Aufstandes der Camisarden zur fast vollständigen Vernichtung des Protestantismus führte.

1566

1566

1579

In den **Niederlanden** rief die Regierung **Philipps II.** (Regent seit 1555, Herrscher seit 1556) einen starken, zugleich politischen und kirchlichen Gegensatz hervor, der sich im Geusenbund verdichtete, gegen den *Alba* ein wahres Blutregiment entfaltete. Seine Hauptgegner wurden *Wilhelm von Nassau-Oranien* und dessen Sohn *Moritz*. Das Ende war die Gründung einer calvinischen Kirche, die im Norden Staatskirche wurde, und die staatliche Verselbständigung der 7 Nordprovinzen in der Union von Utrecht; in den Südprovinzen, dem heutigen Belgien, wurde der Protestantismus ausgerottet.

1588

In **England** scheiterte der Versuch der Rekatholisierung sowohl unter Maria Tudor (1553—1558) wie der Kriegszug Philipps II. gegen Elisabeth I.: Untergang der Armada. Auch unter Karl II. und Jakob II. (ca. 1680—1688) blieben ähnliche Versuche erfolglos.

In **Schweden** hat sich Johann III. durch sein Bestreben, die polnische Krone zu gewinnen, veranlaßt gesehen, katholisch zu werden. Mit Hilfe der Jesuiten sein Land nachzuziehen, glückte ihm nicht. Sein Sohn *Sigismund*, tatsächlich auch König von Polen, verlor darüber

1604   die schwedische Krone.

In **Polen,** zu dem damals auch Litauen gehörte, erstarkte der Katholizismus zuerst wieder unter der Führung des Ermländer Bischofs Stanislaus Hosius († 1579).

1565   Gründung eines Jesuitenkollegs in Braunsberg. König *Sigismund* (1587—1632) bekämpfte die Protestanten energisch, ohne sie ganz auslöschen zu können.

1645   blieb das Thorner Religionsgespräch ergebnislos.

1724   eröffnete das Thorner Blutbad eine neue harte Verfolgungswelle.

In **Ungarn** hat Erzbischof Peter *Pázmány* von Gran (1616—1637) sich erfolgreich um die Wiederbelebung des Katholizismus bemüht, nachdem die Protestanten sich

1606   im Frieden von Wien Duldung erkämpft hatten.

1731   schränkte Karl III. ihre Rechte stark ein. Maria Theresia setzte die Rekatholisierungsversuche fort.

In den **romanischen Ländern** hatte die Inquisition schon vorher ihr Werk getan.

§ 46. Die katholische Kirche von 1648 bis zur Gegenwart

Aus den **nationalkirchlichen Tendenzen** der werdenden Aufklärungszeit heraus erwuchs der katholischen Kirche

(1605—1621)   1. eine Auseinandersetzung zwischen Papst *Paul V.* und Venedig über das Verhältnis von geistlicher und weltlicher Gewalt, wobei auch Bann und Interdikt sich als unwirksam erwiesen.

2. In Frankreich wurden die schon seit dem 15. Jh. erkämpften **„gallikanischen Freiheiten"** erneuert und

1682   von Bischof *Jacques Bossuet* von Meaux klassisch formuliert und vom Klerus akzeptiert.

3. In Deutschland erneuerte *Febronius* (Nikolaus von Hontheim) den Episkopalismus, und die deutschen Erzbischöfe forderten

1786   in der **Emser Punktation** eine deutsche Nationalkirche. Dasselbe Ziel erstrebte der Konstanzer Weihbischof *Ignaz Freiherr von Wessenberg* noch im Anfang des 19. Jh.s und der deutsche Primas, Erzbischof *Karl Theodor*

von Dalberg hat dem Wiener Kongreß einen entsprechenden Antrag vorgelegt. Der Deutschkatholizismus (Johannes Ronge und Johannes Czerski) erneuerte

1845 ff.   die Tendenz.

4. Auch in Österreich hat *Joseph II.* die Kirche in nationalkirchlichem Sinn umgestaltet und zugleich

1781   im **Toleranzpatent** den Gliedern gewisser nichtkatholischer Kirchen Duldung gewährt.

Innerkirchlich führte das 17. Jh. zu einer neuen Blüte des Ordenswesens durch Gründung

1610   des Ordens der Salesianerinnen durch den Mystiker

(† 1622)   *Franz von Sales;*

1624   der „Lazaristen" zur Pflege sittlich Verwahrloster;

1633   der Kongregation der Vinzentinerinnen („Barmherzige

(† 1660)   Schwestern") durch *Vincenz von Paul,* dem ersten Frauenorden ohne Klausur.

Im 18. Jh. folgte noch der Orden der Redemptoristen,

1732   von *Alphons Maria von Liguori* in enger geistiger Verwandtschaft mit den Jesuiten gegründet.

Starke innere Kämpfe ergaben sich in Frankreich, wo

1640—1713   **der jansenistische Streit** die Kirche an den Rand der Spaltung führte. Bischof *Cornelius Jansen* von Ypern hatte in einem

1640   posthum erschienenen Buch „Augustinus" dessen Sünden- und Gnadenlehre erneuert. Seine Anhänger sammelten sich um das Kloster Port Royal bei Paris, unter ihnen **Blaise**

(† 1662)   **Pascal;** gegen die jesuitischen Gegner veröffentlichte dieser

1656 f.   seine Lettres provinciales, in denen er die jesuitische Morallehre angriff.

1643—1715   **Ludwig XIV.** trat 1660 auf die Seite der Jesuiten, zerstörte Port Royal und ließ

1713   101 zum Teil rein augustinische Sätze durch *Klemens XI.* **(Bulle „Unigenitus")** verdammen, darunter: Extra ecclesiam nulla conceditur gratia. Die Folge war die Gründung der (altkatholischen) **Kirche von Utrecht,** die aber nur wenige Anhänger gewann.

Kämpfe um die **Mystik** griffen fast ebenso tief. Im quietistischen Sinn von dem Spanier *Molinos* (Guida spirituale, 1675) erneuert, wurde sie

1687   von *Innozenz XI.* verdammt. Auch die französische Form,

(† 1717)   die Frau von Chantal und Erzbischof *Fénelon* vertraten, wurde

1699   verurteilt.

Die **Aufklärung** führte dann, am stärksten in Frankreich, eine scharf antikirchliche Stimmung herauf (vgl. § 48), durch die zunächst Papst *Klemens XIV.* genötigt wurde,

1773   durch die Bulle „Dominus ac redemptor noster" die **Auflösung des Jesuitenordens** zu verfügen.

1789—1801   **Die französische Revolution** führte zur Enteignung des gesamten Kirchenguts, Auflösung der Klöster und Orden, sowie durch die Zivilkonstitution des Klerus zu einer radikalen Neuorganisation der Kirche. Die Abschaffung der christlichen Zeitrechnung und der kirchlichen Feste war nur das Vorspiel für die

1793   erfolgende offizielle Abschaffung des Christentums überhaupt. Zerstörung von über 2000 Kirchen.

1795   wurde die Religionsfreiheit aber wiederhergestellt.

1798   kam es zu einer (kurzfristigen) Aufhebung des Kirchenstaates und zur Gefangennahme *Pius'* VI., der in der Gefangenschaft starb. Entscheidend für die kirchliche Neuordnung wurde

1801   das **Konkordat Napoleons** mit der Kurie, zusammen

1802   mit den Organischen Artikeln. Aber

1808   wurde der Kirchenstaat erneut besetzt und

1809   Papst Pius VII. gefangengesetzt.

In Deutschland veranlaßte *Napoleon*

1803   durch den **Reichsdeputationshauptschluß von Regensburg** die Säkularisierung der geistlichen Fürstentümer.

Die Schrecken der Revolution riefen in Frankreich als Gegenschlag den **Ultramontanismus** hervor: der Papst Hüter der geistlichen und weltlichen Ordnung. Die Programmschriften: *L. de Bonald,* Théorie du pouvoir politique et religieux, 1797; *F. de Chateaubriand,* Le génie du christianisme, 1802; *Jos. de Maistre,* Du pape, 1819.

Nach dem Sturz Napoleons erfolgte

1814   die **Wiederherstellung des Kirchenstaates** (ohne Avignon und das Venaissin) durch den Wiener Kongreß, die Rückkehr des Papstes nach Rom und die **Wiedereinsetzung des Jesuitenordens** (Bulle „Sollicitudo omnium"), der Inquisition und der Indexkongregation.

1817—1824   **Konkordate** bzw. Zirkumskriptionsbullen mit den deutschen Staaten Bayern, Preußen, Baden, Württemberg, Hessen-Darmstadt, Hessen-Kassel, Hannover.

	Das durch den Ultramontanismus geweckte neue Selbstbewußtsein der katholischen Kirche führte in Deutschland
1837—1838	zum Kölner Kirchenstreit mit Erzbischof *von Droste-Vischering*, in den auch Erzbischof *Dunin* von Gnesen-Posen hineingezogen wurde; beide wurden verhaftet.
1840	Beilegung durch König *Friedrich Wilhelm IV.* gleich nach seiner Thronbesteigung.
1850	Proklamation voller Religionsfreiheit in der preußischen Verfassung.
1854	erfolgte durch einseitigen päpstlichen Akt *Pius' IX.* (Bulle „Ineffabilis Deus") die Dogmatisierung der **immaculata conceptio Mariae.**
1855	Konkordat mit Österreich, Beseitigung des Josephinismus.
1864	Syllabus Pius IX. über die Irrtümer der Zeit.
1869/70	**I. Vatikanisches Konzil;** es dogmatisierte
	1. die Erkennbarkeit Gottes aus der Schöpfung mit Hilfe der Vernunft (gegen Kant u.a.),
	2. die **Unfehlbarkeit** von Ex-cathedra-Entscheidungen des Papstes (Constitutio de ecclesia I.),
	3. den Universalepiskopat des Papstes.
1871	Daraufhin **Separation der Altkatholiken,** die
1889	eine Union mit der Kirche von Utrecht schlossen.
1870	**Untergang des Kirchenstaates,** Garantiegesetz für den Papst. Papst fühlt sich als Gefangener im Vatikan.
1872 ff.	**Kulturkampf in Preußen — Deutschland** unter **Bismarck.**
1870	Gründung der Zentrumspartei. Versuch, den Einfluß der katholischen Kirche zu beschränken durch
(1871)	den Kanzelparagraphen,
(1872)	das Jesuitengesetz,
(1873)	die preußischen Maigesetze,
1875	die Zivilstandsgesetzgebung.
(1877)	von 12 preußischen Bistümern 6 durch Amtsenthebung, 2 durch Tod unbesetzt, über 2000 Priester in Haft. Schwere Schädigung des kirchlichen Lebens und Gefahr für den Staat.
1878—1903	**Papst Leo XIII.** suchte erfolgreich den Ausgleich.
(1879)	Rücktritt des preußischen Kultusministers Falk,
(seit 1880)	Abbau oder Änderung der meisten Kampfgesetze.
(1882)	Wiederherstellung der diplomatischen Beziehungen zwischen Preußen und der Kurie.

Leo XIII. :

1879   „Aeterni patris": Erhebung des Thomas von Aquino
            zum Normalphilosophen der katholischen Kirche.
(1890)   „Sapientiae christianae" = katholische Staatslehre,
1891   Enzyklika **„Rerum novarum"** = Eingreifen in die Sozial-
            politik.

            Unter *Pius X.* (1903—1914) erfolgte
1905   in **Frankreich** die Trennung von Staat und Kirche
            mit schweren Folgen für die finanziellen Verhältnisse und
            die erzieherische Arbeit der katholischen Kirche.
1907   Verurteilung des Modernismus durch den Syllabus
            „Lamentabili" und die Enzyklika „Pascendi dominici
            gregis".
(1910)   Einführung des Antimodernisteneides.

            Unter *Benedikt XV.* (1914—1922)
1917   Friedensaktion des Papstes und
            Einführung des Codex iuris canonici.
(1920)   Gründung der romfreien tschechoslowakischen National-
            kirche.

            Unter *Pius XI.* (1922—1939)
1923   Zusammenfassung der Laienarbeit zur Actio catholica.
1928   Ablehnung der ökumenischen Bewegung durch die Enzy-
            klika „Mortalium animos".
1929   **Lateranverträge** mit *Mussolini :* Gründung der souveränen
            Città del Vaticano; Konkordat mit Preußen.
1933   **Konkordat mit Adolf Hitler** (deutsches Reichskonkordat),
            aber
1937   Absage an den Nationalsozialismus durch die En-
            zyklika „Ardenti cura".
1937   Verurteilung des Kommunismus („Divini redemp-
            toris").

            Unter *Pius XII.* (1939—1958)
1943   Fixierung des Kirchenverständnisses in der Enzyklika
            „Mystici Corporis Christi"; Bibelenzyklika „Divino af-
            flante Spiritu".
(1946)   Protest gegen die Rückgliederung der unierten Kirchen
            der Ukraine und Rumäniens in die Orthodoxie.
1949/50   Veröffentlichung des Codex iuris canonici orientalis.
1950   Enzyklika „Humani generis".

5*

1950	**Dogmatisierung der Leiblichen Himmelfahrt Mariae** (Enzyklika „Munificentissimus Deus").
1958—1963	*Johannes XXIII.*
1963—1978	*Paul VI.*
1962—1965	**II. Vatikanisches Konzil** unter Johannes XXIII. und Paul VI. *Ergebnisse* u. a: Bestätigung, Neuakzentuierung und Ergänzung der traditionellen Kirchenlehre — (Primat, Heilsgeschichte, Schrift und Tradition u. a.) — Erweiterung der Bibelforschung — intensivere Teilnahme der Laien — verständnisvollere Haltung gegenüber nichtrömischen Kirchen, Israel, nichtchristlichen Religionen und Ideologien (drei neue Sekretariate) und gegenüber den Problemen der modernen Welt.
1967	Besuch *Pauls VI.* beim Patriarchen *Athenagoras* in Istanbu- und Aufhebung des Schismas mit der orthodoxen Kirche.
1978	*Johannes Paul I.; Johannes Paul II.*

§ 47. Der Pietismus

Terminologisch zu unterscheiden ist zwischen dem Frühpietismus (ca. 1650—1760) und dem Neupietismus (ab ca. 1830).

(† 1602) Als „Vater des Pietismus" gilt der englische Puritaner *William Perkins.* Mit seinem asketisch strengen, aber zugleich gefühlsbetonten Christentum wirkte er auf die Begründer des **reformierten Pietismus** in den Niederlanden Willem *Amesius* und Willem *Teellinck.* Die ethische Komponente verstärkte *Gisbert Voet* zum Präzisismus; er *(† 1676)* begann zugleich mit der Sammlung von **Konventikeln.** *(† 1674)* *Jean de Labadie,* Jesuitenschüler, Konvertit, geriet mit ihnen schon in die Separation.

Die wichtigsten reformierten Pietisten in Deutschland, in engem geistigen Zusammenhang mit den Niederlanden *(† 1693)* stehend, waren *Theodor Untereyck* in Mülheim/Ruhr und *(† 1680)* Bremen, der Choraldichter *Joachim Neander* in Bremen und † *1769* der Mystiker *Gerhard Tersteegen.*

Der lutherische Pietismus beruht auf der Nachwirkung der orthodoxen Reformtheologie (vgl. S. 53) und auf Anregungen des englischen Puritanismus. Als Väter des † *1705* lutherischen Pietismus gelten **Johann Arndt** und **Philipp** *1675* **Jacob Spener,** der mit seinen **Pia Desideria** einen weitwirkenden Anstoß gab.

Einen eigenen Zug übermittelte dem Pietismus **August**
† 1727   **Hermann Francke** mit seiner Betonung des Buß-
kampfes, mit seiner Begründung des Halleschen
Waisenhauses (Franckesche Stiftungen) 1694ff., mit
seiner versuchten Universitätsreform, sowie mit seiner
Missionsarbeit. In Württemberg schuf *Johann Al-*
† 1752   *brecht Bengel* im Anschluß an Spener eine biblisch orientierte,
fast volkskirchliche Form, während *Friedrich Christoph*
(† 1782)   *Oetinger* unter dem Einfluß Jakob Boehmes und Sweden-
borgs eine Art kirchlicher Theosophie entwickelte.

Zu einer Sonderkirche, der **Brüdergemeine**, führte die
† 1760   Arbeit des Grafen Nikolaus Ludwig von **Zinzendorf**, der
Flüchtlinge der böhmisch-mährischen Brüder-Unität in
Herrnhut ansiedelte, von dort aus eine weitreichende
Missionsarbeit begann und Herrnhut zum geistigen Sammelpunkt aller Herzensfrommen machen wollte. Den Ausbau
(† 1792)   der Brüdergemeine vollendete *August Gottlieb Spangenberg.*

Der radikale Pietismus führte im reformierten
Bereich zur Gründung „philadelphischer" Gemeinden
durch *Heinrich Horche*. „Inspirationsgemeinden" entstanden
in der Wetterau und im Wittgensteiner Land (Ber-
leburger Bibel 1726—1742), aber auch in der Pfalz
und Württemberg. Zum Libertinismus entartete die
Buttlarsche Rotte. Sittlich nicht unanstößig war
auch die Ronsdorfer Sekte. An Persönlichkeiten ragen
(† 1690 / † 1727)   hervor *Johann Jakob Schütz*, *Johann Wilhelm Petersen* und
seine Frau Eleonore geb. von Merlau (Chiliasten) und
Gottfried Arnold mit seiner
1699   erschienenen „Unparteiischen Kirchen- und Ketzerhistorie".

Der lebhafte **Widerstand der Orthodoxie** und vieler
Behörden gegen den Pietismus fand literarisch seine Zu-
sammenfassung in *Valentin Ernst Löschers* „Vollständiger
Timotheus Verinus", 1718ff.

§ 48. Die Aufklärung

Auf dem Gebiet der Staatslehre wurden bahnbrechend
(† 1645)   *Hugo Grotius* (De iure belli et pacis = „Magna Charta des
(† 1679)   Naturrechts"), *Thomas Hobbes* (Leviathan), *John Locke*
(Epistola de tolerantia) und *Samuel Pufendorf* (De iure naturae
(† 1728)   et gentium). Auf ihnen fußend entwickelte *Christian Thoma-*
sius die in Deutschland herrschend werdende staatskirchen-
rechtliche Doktrin des **Territorialismus**.

(† 1790)   Wirtschaftsrechtlich hielt *Adam Smith* (Inquiry into
                    the Nature ... of the Wealth of Nations) die unbedingte
                    Arbeits- und Kapitalfreiheit für einen Teil der Menschen-
                    rechte.

† 1543   Naturwissenschaftlich wurden durch Kopernikus,
(†1600,†1630, Giordano Bruno, Johann Kepler, Galilei und Isaac Newton
†1642,†1727) eine neue Mechanik, Physik und Astronomie begründet und
                    damit **ein neues Weltbild** geschaffen, dem schon Francis
(† 1626)   Bacon die Fähigkeit zu metaphysischen Aussagen absprach.

                    Als Gegenschlag gegen skeptische Tendenzen (*Michel de*
(†1591) † 1650 Montaigne) hat philosophisch *René Descartes* (Discours
                    de la méthode. Principia philosophica) die Aufklärung als
                    Vernunftwissenschaft begründet. Ihm folgte Baruch
† 1677   *Spinoza* (Tractatus theologico-politicus; Ethica).

                    Theologisch wurde *Herbert von Cherbury* (De religione
                    gentilium) von Bedeutung durch seine Schilderung einer
                    „natürlichen" Religion.

                    Unter den europäischen **Ländern** ging England mit der
                    Ausbildung des **Deismus** voran. Die Hauptvertreter sind:
(† 1704)   der Sensualist *John Locke* (Essay concerning Human Under-
(† 1753)   standing), *George Berkeley* (Treatise on the Principles of
(† 1776)   Human Knowledge), *David Hume* (Dialogues concerning
(† 1713)   Natural Religion), sowie Lord *Shaftesbury*.

                    In Frankreich erfolgte die Wendung zu einer scharfen
                    kirchen-, ja religionsfeindlichen Haltung schon durch
                    Pierre Bayle in seinem Dictionnaire historique et critique
(† 1778)   1695—1697. Ihm folgte *François de Voltaire* (Essai sur les
                    moeurs et l'esprit des nations). Einen radikalen **Materialis-**
(† 1751)   **mus** vertraten *de Lamettrie* (L'homme machine) und *Diet-*
(† 1789)   *rich von Holbach* (Système de la nature). Im Gegensatz dazu
† 1778   wurde Jean-Jacques **Rousseau** (Du contrat social; Emile
                    ou sur l'éducation) der Prophet des Gefühls und Weg-
                    bereiter einer neuen geistigen Haltung.

† 1716   In Deutschland wurde Gottfried Wilhelm **Leibniz,**
                    Verfechter einer Union zwischen Katholiken und Protestan-
                    ten, entscheidend für die Bejahung des Christentums.
                    Hauptwerke: Essais de Théodicée; La liberté de l'homme
                    et l'origine du mal. Für die Verbreitung seiner Ideen wurde
                    maßgebend *Christian Wolff* („Vernünftige Gedanken über
                    Gott, Welt ...", 1712—1724).

ca. 1750ff.   **Zeitalter der Neologie.** Hauptvertreter *Johann Salomo*
† 1791   *Semler*, der Begründer der historisch-wissenschaftlichen

Theologie. Hauptwerk: Abhandlung von freier Untersuchung des Kanons, 1771 ff. Weitere Neologen: *Christian*
(† 1769)   *Fürchtegott Gellert,* Joachim Spalding (Bestimmung des
Menschen, 13 Auflagen!), J. Fr. W. Jerusalem. Weit radi-
(† 1768)   kaler war *Samuel Reimarus.* Aus seiner „Apologie oder
Schutzschrift für die vernünftigen Verehrer Gottes" gab
† 1781   Gotthold Ephraim **Lessing** die „Wolfenbütteler Frag-
(† 1786)   mente" heraus, gegen die *Melchior Goeze* den Fragmen-
tenstreit auslöste. In seinem „Nathan der Weise" (1778)
und der „Erziehung des Menschengeschlechts" (1780) ist
Lessing auch Neologe. Zur Frivolität pervertierte
(† 1792)   *Karl Friedrich Bahrdt* das aufgeklärte Denken.

Aus der Neologie entwickelte sich

a) der **Supranaturalismus,** dessen Führer *Gottlob Christian*
(†1786,†1812)*Storr* und *Franz Volkmar Reinhard* wurden;

b) der **Rationalismus,** vertreten von *Philipp Konrad Henke,*
(†1848,†1851)*Johann Friedrich Röhr* und *Heinrich Paulus.*

Nach dem Vorgang anderer Staaten (Kursachsen 1766)
versuchte die Regierung *Friedrich Wilhelms II.* von Preußen
1788   durch das **Wöllnersche Religionsedikt** vergeblich, die
Aufklärung durch administrative Maßnahmen zu unter-
drücken.

§ 49. Der Idealismus

1. Die romantische Gruppe. Dem Wegbereiter
† 1803   Rousseau folgten in Deutschland *Friedrich Gottlieb Klop-*
† 1788   *stock,* der „Magus des Nordens" *Johann Georg Hamann*
† 1803   und vor allem Johann Gottfried **Herder,** der Erneuerer der
Geschichtsphilosophie („Ideen zur Philosophie der
Geschichte der Menschheit") und Begründer des Genie-
kultes; zugleich wirkte er mit seiner Wertung des „Volks-
tums" auf das 19. und 20. Jh. Romantiker im engeren Sinne
(† 1801)   war *Novalis* (Friedrich von Hardenberg), mit seinem Kult
der „Liebe" und seiner Korrelation „Geschichte — Erlebe-
nis" viele anziehend.
In diese Linie gehört auch Johann Wolfgang **Goethe**
† 1832   mit seiner religiösen Naturauffassung und von den
(† 1854)   Philosphen *Friedrich Wilhelm Joseph Schelling.* Hauptwerke:
Ideen zu einer Philosophie der Natur, 1797; Philosophische

Untersuchungen über das Wesen der menschlichen Freiheit, 1809.

2. Der philosophische Idealismus wurde entschei-
† 1804
dend bestimmt durch die Auseinandersetzung mit Immanuel **Kant,** der mit seiner Erkenntnistheorie (Kritik der reinen Vernunft, 1781) die Basis der Aufklärungstheorie zerstörte, in der „Kritik der praktischen Vernunft" (1788) die Prinzipien seiner Ethik begründete und seine Gottespostulate entwickelte. Seine Religionsphilosophie ist dargestellt in der Schrift „Die Religion innerhalb der bloßen Vernunft"
† 1805
(1793). — Kantianer war *Friedrich Schiller*, der freilich in seiner Deutung des Christentums als „aesthetischer Reli-
† 1814
gion" eigene Wege ging. Auch Johann Gottlieb **Fichte** ging von Kant aus, mit seiner religiösen Begründung der Freiheitskämpfe, seinem Eintreten für eine Nationalkirche und der Ablehnung des paulinischen Christentums in die Geschichte der Kirche tief eingreifend. Hauptwerke: Reden an die deutsche Nation, 1808; Die Anweisung zum seligen
† 1831
Leben, 1806. Auch Georg Friedrich Wilhelm **Hegel** ist mit seiner Auffassung der Geschichte als der Selbstentfaltung und damit der Offenbarung des absoluten Geistes (Gottes) und mit seiner Staatsphilosophie bedeutsam geworden. Hauptwerke: Vorlesungen über die Philosophie der Geschichte (posthum 1833), Vorlesungen über die Philosophie der Religion (posthum 1832).

§ 50. Die Erweckungsbewegung

Als Vorläufer sind zu nennen:
(† 1817)
Johann Heinrich Jung, genannt *Jung-Stilling*, seit 1784 im Badischen wirkend. Hauptwerk die Autobiographie;
(† 1801)
Johann Kaspar Lavater („Aussichten in die Ewigkeit", Geheimes Tagebuch);
† 1815
Matthias Claudius, der Redakteur des „Wandsbeker Boten".
(† 1803)
Im Rheinland gewann der Arzt *Samuel Collenbusch* weiterwirkenden Einfluß. Auch *Hamanns* ist hier noch einmal zu gedenken.

Organisatorisch wurde neben der Diasporapflege der Brüdergemeine die deutsche Christentumsgesellschaft wichtig, 1780 in Basel durch *Johann August*

Urlsperger gegründet, (über 100 Zweiggesellschaften), der Ursprungsort vieler Bibel- und Missionsgesellschaften.

In der **Erweckungsbewegung** selbst, die im einzelnen unterschiedlich und je nach Territorium verschieden verlief (besser also: Die Erweckungsbewegungen), gehören zur stärker bibelorientierten Gruppe

(† 1831)   *Gottfried Menken* in Bremen, Werke: Über Glück und Sieg der Gottlosen, 1795; Anleitung zum eignen Unterricht in den Wahrheiten der Hl. Schrift, 1805;

(† 1845)   *Johann Christian Krafft* in Erlangen, wie Menken ein Schüler von Collenbusch (De servo et libero arbitrio, 1818; Chronologie und Harmonie der vier Evangelien, 1848).

     Friedrich August Tholuck in Halle. Schriften: Die Lehre von
(† 1877)   der Sünde und dem Versöhner oder die wahre Weihe des Zweiflers, 1823; Gespräche über vornehmste Glaubensfragen der Zeit, 1846; Stunden christlicher Andacht, 1839.

     Die Hinwendung zum **Konfessionalismus** erfolgte bei
(† 1855)   den Lutheranern einmal durch *Klaus Harms* in Kiel; (1817 Ausgabe von Luthers 95 Thesen „mit anderen 95 Sätzen als mit einer Übersetzung aus 1517 in 1817 begleitet").

(† 1869)   In Berlin wurde *F. W. Hengstenberg* maßgebend (Christologie des AT, 1829—1835; seit 1835 Herausgeber der „Evangelischen Kirchenzeitung"). In Schlesien kam es
(†1843,†1886) durch *J. G. Scheibel* und den Juristen *Eduard Huschke*
1830   über der Einführung der Union zur Gründung der altlutherischen Kirche, die allerdings erst 1840 anerkannt wurde. In Bayern sind die Wurzeln des luthe-
(†1872,†1879) rischen Konfessionalismus vielverzweigt. Doch haben *Wilhelm Löhe und Adolf Harleß* eine wesentliche Rolle gespielt.

     Unter den bewußt konfessionellen Reformierten ist
(† 1845)   neben *J. C. Krafft* in Erlangen vor allem *H. Friedr. Kohl-*
(† 1875)   *brügge* zu nennen († in Elberfeld); Werke: Das 7. Kap. des Briefes Pauli an die Römer, 1839; Die Lehre des Heils (Katechismus).

     Für die einzelnen **Territorien** wurden entscheidend:
(† 1837)   am Niederrhein *Gottfried Daniel Krummacher* in Elberfeld (ref.) und *Kohlbrügge;*

(† 1877)   für Minden-Ravensberg *Johann Heinrich Volkening* in Jöllenbeck („Kleine Missionsharfe") und *Theodor Schmalenbach* in Herford;

(† 1873) † 1865 für Hannover *Ludwig Adolf Petri* und *Ludwig Harms*, der Begründer der Hermannsburger Mission;

† 1865 für Bremen neben *Gottfried Menken* der Bahnbrecher der
(† 1865) ev. Jungmännerarbeit *Ludwig Mallet*;
(† 1865) für Hamburg *Johann Wilhelm Rautenberg* und der Buch-
(† 1843) händler *Friedrich Perthes*;
(† 1843) für Berlin und Pommern *Ernst von Kottwitz* und *Adolf von*
(† 1882) *Thadden*;
(† 1875) für Bayern neben *Krafft, Harleß* und *Löhe Gottfried Tho-*
masius;
(† 1828) für Württemberg *Ludwig Hofacker* und *Johann Christoph*
† 1880 *Blumhardt* der Ältere;
(† 1862) für Baden neben *Jung-Stilling Alois Henhöfer*;
† 1868 für Kurhessen *August Vilmar*, zugleich ein Vorkämpfer des dortigen Luthertums.

§ 52. Neue geistige Strömungen in Deutschland seit 1835

Die philosophische Entwicklung führte in Deutschland nach Hegel zu einer spürbaren **Entchristlichung.** *David*
(† 1874) *Friedrich Strauß* sah zunächst in den biblischen Heilstatsachen nur freigeschaffene Mythen, verfiel zuletzt aber einem darwinistisch begründeten Materialismus und Atheismus. Werke: Leben Jesu, 1835f.; Christliche Glaubenslehre, 1840f.; Der alte und der neue Glaube, 1872. — Auch
(† 1882) *Bruno Bauer* interpretierte Hegel atheistisch und erklärte die evangelischen Berichte als theologische Kunstprodukte. Werke: Kritik der Gesch. der Offenbarung, 1838; Christus
(† 1872) und die Caesaren, 1877. — *Ludwig Feuerbach* knüpfte mit seiner „Entlarvung" der Religion als eines Illusionismus direkt an. Das Wesen des Christentums, 1841; Das
† 1883 Wesen der Religion, 1845. — **Karl Marx** nahm Feuerbachs Ansatz auf, in einem konsequenten dialektischen Materialismus die Destruktion der Religion als Voraussetzung der ersehnten neuen Welt erklärend. Werke: Das kommunistische Manifest, 1847; Das Kapital, 1867—1894.
† 1860 Auch *Arthur Schopenhauer* knüpfte mit seinem pessimistischen Voluntarismus an Hegel an, das Christentum als eine auf chronische Geistesschwäche berechnete Metaphysik ablehnend. „Die Welt als Wille und Vorstellung",

† 1900   1819. — *Friedrich Nietzsche* aber machte die angebliche
              Kulturwidrigkeit des Christentums lächerlich und pro-
              pagierte die Umwertung aller Werte. „Also sprach
              Zarathustra", 1883/85; „Zur Genealogie der Moral", 1887;
              „Antichrist", 1888.
                  Bei einem vollen religiösen Agnostizismus landete der
(† 1857)   Positivismus *Auguste Comtes*. Werke: Cours de philosophie
              positive, 1830—1842; Discours sur l'esprit positif, 1844;
              Discours sur l'ensemble du positivisme, 1848.
(† 1882)   Auch *Charles Darwin* hat mit seiner biologischen Entwick-
              lungslehre viel zur Entchristlichung beigetragen. Werke:
              Über die Entstehung der Arten durch natürliche Zuchtwahl,
              1859; Die Abstammung des Menschen und die geschlecht-
(† 1919)   liche Zuchtwahl, 1871. Noch mehr *Ernst Häckel* mit seinem
              Buch „Die Welträtsel", 1899.

§ 53. Die theologische Entwicklung in Deutschland im 19. Jahrhundert

                  Im Kampf gegen die Aufklärung haben zunächst die vom
              Idealismus (und der Romantik) bestimmten Theologen
              neue Wege beschritten, allen voran Friedrich Daniel
† 1834   **Schleiermacher,** die christliche Wahrheit im christlichen
              Selbstbewußtsein begründend. Hauptwerke: Über die Reli-
              gion, 1799; Kurze Darstellung des theol. Studiums, 1811;
              Der christliche Glaube, 1821f. 1830². Von H e g e l gingen
              aus mit ihrem Versuch, Offenbarung und Vernunft zu ver-
              einen, die Vertreter der sog. spekulativen Theologie: *Karl*
(† 1836,† 1846) *Daub* und *Philipp Marheineke.*
                  Von der R o m a n t i k beeinflußt waren ebenfalls Theo-
(† 1861)   logen der E r w e c k u n g s b e w e g u n g: *Friedrich Julius Stahl*
              wirkt mit seiner Staatslehre und seiner Ekklesiologie bis
              heute nach. Für die Ekklesiologie bedeutsam wurden eben-
(† 1895,† 1868) falls *Theodor Kliefoth* und *August Fr. W. Vilmar*. Ein enges
              Verhältnis zur Erweckung hatte auch die **Erlanger Schule:**
(† 1875,† 1879) *Gottfried Thomasius* (Kenosis), *Adolf (von) Harleß* (Christ-
              liche Ethik, 1842; Zeitschr. f. Prot. und Kirche); ihr be-
              deutendster Vertreter war Johann Christian Konrad (von)
(† 1877)   **Hofmann** mit seiner heilsgeschichtlichen Methode und der
              Zusammenschau von Erfahrung und Bekenntnis. Das auf-
              gebrochene Problem der Gewißheit behandelte sein Schüler

(† 1894)   *Fr. H. K. (von) Frank.*   Schrifttheologe   wollte   *Ernst*
(† 1869)   *Wilhelm Hengstenberg* sein (Christologie des AT, 3 Bde,
              1829/35).   Biblizist,   aber   mit   einem   stark eschato-
(† 1878)   logischen Einschlag war auch *Johann Tobias Beck.*
              Eine einflußreiche **Vermittlungstheologie** fehlte nicht.
*(†1869,†1865)**Carl Immanuel Nitzsch, Karl Ullmann* und *Isaak August*
(† 1884)   *Dorner* (Lehre von der Person Christi, 1839) gehören zu
(† 1867)   ihr, aber auch *Richard Rothe* (Theol. Ethik, 1845—1848).
              Die kritische Richtung hat vor allem eine entwicklungs-
              geschichtliche Betrachtung des Christentums angebahnt:
*(†1882,†1918)**W. Vatke* und später *Julius Wellhausen,* daneben die evange-
(† 1860)   lische **Tübinger Schule,** begründet von *Ferdinand Christian*
              Baur, das Christentum in seiner Geschichte als die „objek-
              tive Selbstentfaltung der christlichen Idee" verstehend
              (5 Bde. Kirchengesch., 1853ff.; Paulus, 1845). Sein bedeu-
(† 1910)   tendster Schüler war *Heinrich Julius Holtzmann.*
              Die Möglichkeit, den Jesus der Geschichte mit dem
              Christus des Glaubens zusammenzuschauen, bestritt indes
(† 1874)   energisch *David Friedrich Strauß* in seinem „Leben Jesu",
              1835/36. Die Begründung des Glaubens auf das Gefühl
(† 1872)   oder die Erfahrung brandmarkte *Ludwig Feuerbach* als Illu-
              sion (Das Wesen der Religion, 1845). Hier war ein neuer
              Ansatz nötig.
† 1889   **Albrecht Ritschl** versuchte ihn zu geben, indem er ihn
              auf geschichtlich unterbaute Werturteile gründete. Haupt-
              werke: Geschichte des Pietismus, 1880—1886; Die christl.
              Lehre von der Rechtfertigung und Versöhnung, 1870—
(† 1930)   1874. Seine wichtigsten Schüler waren *Adolf (von) Harnack,*
(† 1922)   *Wilhelm Herrmann.* Sie sammelten sich um die „Christliche
              Welt", seit 1888 herausgegeben von dem Harnack-Schüler
(† 1940)   *Martin Rade.*
              Von Ritschl ging auch aus die **religionsgeschichtliche**
(† 1932)   **Schule,** zu deren Begründern *Hermann Gunkel* und *William*
(† 1906)   *Wrede* gehörten, deren Hauptvertreter aber *Ernst Troeltsch*
(† 1923)   wurde, immer neu vom Problem der Absolutheit des Chri-
              stentums umgetrieben (Die Absolutheit des Christentums
              und die Religionsgeschichte, 1902. 1929³. Glaubenslehre,
              1925). An die religionsgeschichtliche Schule knüpfte, frei-
(† 1976)   lich mit neuen Impulsen, auch *Rudolf Bultmann* an.
              Von den Zeitgenossen wenig beachtet, aber von starker
              geschichtlicher Wirkung waren die Vertreter der **bibli-**
(† 1912)   **schen Schule:** *Martin Kähler* (Der sog. historische Jesus

(† 1938) und der geschichtl. bibl. Christus, 1892), *Adolf Schlatter*
(† 1950) und *Julius Schniewind.*

Einen grundsätzlich neuen Ansatz suchte die **dialektische Theologie,** die eine klare Lehre vom Wort Gottes
erarbeitete, ohne Anleihen bei der Philosophie, aber mit
einem starken, christologisch begründeten Öffentlichkeits-
(1886—1968) anspruch. Als deren Hauptvertreter sind *Karl Barth, Rudolf*
(† 1976) *Bultmann* und zunächst auch *Friedrich Gogarten* zu nennen,
die auch für die Theologie der Nachkriegszeit von beson-
(1906—1945) derer Bedeutung wurden, nicht zuletzt *Dietrich Bonhoeffer.*

Die neuere Entwicklung der deutschen ev. Theologie
† 1855 ist aber ohne den Einfluß **Sören Kierkegaards** nicht zu
verstehen. Mit seinem Anliegen der Realisierung des
Gottesverhältnisses hat vor allem existenziellem Denken
vorgearbeitet. Hauptwerke: Entweder — Oder, 1843;
Philosophische Brocken, 1844; Der Begriff der Angst,
1844; Die Krankheit zum Tode, 1849; Einübung im
Christentum, 1850.

§ 54. Die konfessionelle Frage in Deutschland

Auf dem Boden einer Nationalreligion eine **National-**
(† 1803) **kirche** zu schaffen, hat zuerst *Herder* gewünscht. Der Ge-
(† 1814) danke wurde vor allem von *Fichte* aufgenommen und von
den Burschenschaften
1817 auf der Wartburgfeier proklamiert.
1845 konstituierten *Johannes Ronge* und Johannes Czerski die
deutsch-katholische Kirche, ohne über Anfangs-
erfolge hinauszukommen. Dasselbe gilt von dem von
Friedrich Wilhelm IV. (1840—1861) mit diesem Ziel erneu-
erten Schwanenorden.
1848 feierte diese Idee neue Triumphe und Jahrzehnte später
wieder unter dem Nationalsozialismus.

Hiervon scharf zu unterscheiden ist der Gedanke einer
evangelischen Gesamtkirche für Deutschland. Er hatte
seinen Vorläufer in den landeskirchlichen Unionen:
1803 in Hessen-Darmstadt (Verwaltungsunion),
1817 Nassau,
ab 1817 Preußen (Verwaltungsunion; der Versuch einer Konsensus-
union scheiterte 1830),

1818	Hanau,
1818	Pfalz (Konsensusunion),
1821	Baden (Konsensusunion),
1871	Kurhessen (Verwaltungsunion).

1846 — Ein Versuch überterritorialer Einigung ist zuerst auf Betreiben *Friedrich Wilhelms IV.* gemacht auf der Berliner Deutsch-evangelischen Kirchenkonferenz. Selbst

1848 — kam dieser Versuch (bekannt durch Wichern) nicht über den Konferenzcharakter hinaus. Doch haben die Kirchentage (1848 - 1872), seit

1852 — die Eisenacher Konferenzen praktisch wertvolle Arbeit geleistet. Sie konnten

1903 — den „Deutsch-evangelischen Kirchenausschuß" gründen, der

1922 — nach Wegfall des landesherrlichen Kirchenregimentes in den Deutschen Evangelischen Kirchenbund überging. Er wurde

1933 — zur „Deutschen Evangelischen Kirche" (DEK) umgestaltet die seit

1948 — als „**Evangelische Kirche in Deutschland**" (EKD) fortgeführt wird.

Die kirchlichen Verhältnisse in Deutschland versteht aber nur, wer sieht, daß das 19. Jh. zugleich mit dieser Entwicklung eine Verschärfung der konfessionellen Gegensätze gezeitigt hat (zu den geistigen Anfängen vgl. § 50).

1835 — kam es zur Gründung der (alt-) **lutherischen** Freikirche in Preußen,

1868 — schlossen sich die Lutheraner zur Allgemeinen Ev.-Lutherischen Konferenz zusammen.

(1873/74) — wurde die „Renitente Kirche Niederhessens" und die „Selbständige ev.-luth. Kirche in den hessischen Landen" gegründet,

(1878) — die „Hannoversche Lutherische Freikirche".

Nachdem die lutherischen Kirchen schon

1936 — den „Lutherischen Rat" konstituiert hatten, gründeten sie

1948 — die „**Vereinigte Evangelisch-Lutherische Kirche Deutschlands**" (VELKD, ohne Oldenburg, Eutin und Württemberg).

Auf **reformierter** Seite wurde

1851 — die „Reformierte Kirchenzeitung" als Zentralorgan gegründet und

1884	der **„Reformierte Bund"** als Zusammenschluß der „disiecta membra". „Freie reformierte Synoden" versammeln sich in regelmäßigen Abständen.

§ 55. Die Verfassung der Kirche in Deutschland

1835	Erlaß der **rheinisch-westfälischen Kirchenordnung.**
1850	Einsetzung des Evangelischen Oberkirchenrates in Preußen. Aber erst
1873	erhielt Gesamtpreußen eine Gemeinde- und Synodalord-
1876	nung, der die Generalsynodalordnung folgte.
	In den anderen Territorien hat die Verselbständigung der kirchlichen Verfassung z. T. schon seit 1850 positive Ergebnisse gehabt. Volle Selbständigkeit brachte aber erst
1918	**das Kriegsende.** Alle deutschen ev. Kirchen haben seitdem eine klare Synodalordnung. Der Versuch, 1933—1945 gemacht, das „Führerprinzip" durchzuführen, scheiterte meist im Ansatz, blieb auf jeden Fall aber Episode.

§ 56. Die soziale Frage in Deutschland

	Schleiermacher und *Hegel* haben als erste in Deutschland
† 1883	die sozialen Probleme der Zeit erkannt. *Karl Marx* (1847 Das kommunistische Manifest) ist auch insofern ein Schüler Hegels. Aufgegriffen ist das Problem auf evangelischer
(† 1869, † 1881)	Seite von *Victor Aimé Huber* und *Johann Hinrich Wichern.* Dieser gründete
1833	das Rauhe Haus und legte damit den Grund zur **Inneren Mission,** für die er auf dem Wittenberger Kirchentag 1848 und
1849	in seiner Denkschrift die theoretische Grundlage schuf.
1836	hat *Theodor Fliedner* durch das Kaiserswerther Diakonissenhaus die Diakonissenarbeit erneuert und
1849	folgte *Wilhelm Löhe* in Neuendettelsau mit seiner „Gesellschaft für innere Mission im Sinne der luth. Kirche".
1867	Begründung eines Epileptikerhauses in Bethel, das *Friedrich von Bodelschwingh* nach seiner Berufung 1872 zur Anstalt Bethel ausbaute.
	Politisch ins Weite zu wirken suchte *Adolf Stöcker*,
1878	die „Christlich-soziale Arbeiterpartei" gründend, aber mit ihr scheiternd.

1890	rief er den „Evangelisch-sozialen Kongreß" ins Leben, dem er aber selbst
1897	die „Kirchlich-soziale Konferenz" entgegenstellte.
1896	kam es unter *Friedrich Naumanns* Führung zur national- sozialen Bewegung, die aber nur unter den „Gebil- deten" Anklang fand. Erst dem Nationalsozialismus gelang ein neuer Durchbruch.

Seit Beginn des 20. Jh.s kam es unter dem Einfluß des jüngeren Blumhardt zur Bewegung der Religiös-Sozialen bzw. der Religiösen Sozialisten, Hauptvertreter in der Schweiz: *Hermann Kutter († 1931)* und *Leonhard Ragaz († 1945)*, in Deutschland: *Georg Wünsch († 1965)* und *Paul Tillich († 1965)*.

§ 58. Nationalsozialismus und Kirche

1. Die Machtübernahme der „Deutschen Christen" (DC).

1932	Frühsommer: Zur Vorbereitung der preußischen Kirchen- wahlen (November) Aufstellung der „Glaubensbewegung DC". Führer: *Joachim Hossenfelder.*
1933	30. Januar **Machtergreifung Hitlers.**

Januar: Altonaer Bekenntnis zur Lage (*Hans Asmussen*).

April: 1. Reichstagung der DC erhebt revolutionäre For- derungen. *Ludwig Müller* zum Bevollmächtigten Hitlers für die ev. Kirchen ernannt.

Mai: Jungreformatorische Bewegung proklamiert († 1946) *Fr. von Bodelschwingh* den Jüngeren als Reichsbischof, durch die Bevollmächtigten der Landeskirchen gewählt.

Karl Barth greift ein durch die Schrift „Theologische Existenz heute".

Juni: Wilde Agitation der DC gegen Bodelschwingh. Eingriff des preußischen Staates in die preußische Kirche. *Bodelschwingh* zum Rücktritt genötigt. Eingreifen *Hindenburgs*.

Juli: Annahme der **Verfassung der DEK.** Wahlrede Hit- lers zugunsten der DC. Bildung deutschchristlicher Kirchenregierungen. Gründung der **„Deutschen Glaubensbewegung".**

September: Ludwig Müller preußischer Landesbischof. Arierparagraph. Gründung des **Pfarrernotbundes durch Martin Niemöller.** Wahl von Ludwig **Müller** zum **Reichsbischof** durch die Nationalsynode.

1933—1935   **2. Der innere Kampf um die Kirche.**

1933   November: **Sportpalastkundgebung** der DC enthüllt deren nationalreligiösen Radikalismus. **Schwere Krise der DC:** Rücktritt Hossenfelders, Massenaustritte, neue Richtlinien (28 Thesen), Gründung der „Thüringer DC".

Dezember: **Eingliederung der ev. Jugendverbände in die Hitlerjugend** durch den Reichsbischof. Sturm gegen L. Müller.

1934   Januar: „Maulkorberlaß", Versuch L. Müllers, der Lage Herr zu werden. Neue Hilfestellung Hitlers. Eingliederung der preußischen Landeskirche in die Reichskirche. Weitere Eingliederungsversuche durch „Rechtswalter" *Jäger.* Wachsende Opposition. **Ernennung Rosenbergs** zum Leiter der weltanschaulichen Schulung der NSDAP.

März: Zusammenschluß der oppositionellen Gruppen zur **„Bekenntnisgemeinschaft"** (Ulmer Erklärung).

Mai: **Erste (Reichs-)Bekenntnissynode in Barmen** erklärt die Bekennende Kirche (BK) für die rechtmäßige DEK. Theologische Erklärung gegen die DC, Erklärung zur Rechtslage, Wort an die Gemeinden, Aufbau der BK, Leitung durch Bruderräte.

August: Ungesetzliche „Nationalsynode" versucht, die Maßnahmen der Reichskirchenregierung nachträglich zu legalisieren.

September/Oktober: Eingliederung von Württemberg und Bayern scheitert am Widerstand der Gemeinden.

Oktober: proklamiert die **zweite Bekenntnissynode in Dahlem** das kirchliche Notrecht.
Übernahme der Kirchenleitung bzw. kirchenleitender Funktionen durch die Bruderräte in den Landeskirchen. Staat veranlaßt Kurswechsel: Rücktritt des „Rechtswalters" Jäger, Aufhebung der Eingliederungsgesetze.

November: Fast überall Forderung des Rücktritts Ludwig Müllers.
Bildung einer **„Vorläufigen Kirchenleitung der DEK"** (VKL) unter der Leitung des hannoverschen Landesbischofs *Marahrens.*

Die Gewaltpolitik L. Müllers war gescheitert und damit endgültig die deutsch-christliche Politik. Staat (Hitler) verliert Interesse an der Gestaltung der ev. Kirche, diese soll in ihrem inneren Widerstreit machtlos bleiben.

1935—1937 **3. Versuch der Neuordnung der DEK.**

Dezember: Absetzung *Karl Barths* als Professor in Bonn.

1935 Winter 1934/35: Große **Propaganda**welle **der Deutschen Glaubensbewegung.**

Keine Anerkennung der VKL durch den Staat.

Februar/März: Kundgebungen der VKL und der 2. preußischen Bekenntnissynode gegen das Neuheidentum. Praktisches Scheitern der Deutschen Glaubensbewegung. Rückzug des Staates von ihr.

Staat nimmt Kirchenfrage selbst in die Hand:

März: Staatsgesetz über die kirchliche Vermögensverwaltung, Bildung von Finanzabteilungen;

Juni: Einrichtung einer „Beschlußstelle" in Rechtsangelegenheiten der Kirche (gegen die ordentlichen Gerichte);

Juli: Bildung des Reichskirchenministeriums (Kerrl);

September: Gesetz zur Sicherung der DEK. Staat „Treuhänder".

Oktober: Bildung eines **„Reichskirchenausschusses"** unter Leitung von *W. Zoellner;* Ausschaltung L. Müllers. Nachdem die 3. Bekenntnissynode in Augsburg im Juni die Spannung zwischen der VKL und den Bruderräten noch einmal überwunden hatte, führte die Bildung der Reichskirchenausschüsse zu offenem **Zwiespalt in der BK.**

Oktober: Zusammenschluß der „intakten" luth. Landeskirchen Hannover, Württemberg, Bayern zu gemeinsamer Arbeit; Anschluß der luth. Bruderräte Niederdeutschlands an sie.

1936 Februar: 4. Bekenntnissynode in Bad Oeynhausen. Folge: **Rücktritt der VKL;** Spaltung der BK im März in: „Rat der ev. luth. Kirche Deutschlands" und (neue) VKL (genannt VL) unter dem Vorsitz von Pfarrer Müller-Dahlem, die Mitarbeit mit dem Reichskirchenausschuß grundsätzlich abgelehnt.

Sommer: Die VL übergibt die berühmte **Erklärung an den Führer und Reichskanzler** über die Zustände in Deutschland und verfügt eine entsprechende Kanzelabkündigung.

Zunehmende Propaganda in Partei und Presse gegen den christlichen Glauben.

Wachsende Schwierigkeiten des Reichskirchenausschusses gegenüber DC-Kirchenregierungen.

1937   Februar: **Rücktritt des Reichskirchenausschusses.** Neuordnung der Kirche ohne staatliche Anerkennung nicht möglich, bekenntnisgemäße Neuordnung für den staatlichen Reichskirchenausschuß unmöglich.

1937—1939   **4. Fortschreitende Bekämpfung der Kirche durch den Nationalsozialismus.**

1937   Februar: Hitler verfügt Wahl einer Generalsynode (hat niemals stattgefunden).

März: Entmächtigung aller Kirchenregierungen.

Juni: Kollekten-Erlaß beschränkt stark die Sammlungsfreiheit (vielfach umgangen).

Neue Vollmachten für die Finanzabteilungen.

1. Juli: Verhaftung Martin Niemöllers.

Demgegenüber:

Vergebliche Versuche der Landeskirchenführerkonferenz unter Marahrens, eine neue Leitung der DEK zu schaffen.

Mai: Preußische Bekenntnissynode in Halle faßt Beschlüsse zur konfessionellen Lage und zur Frage der Abendmahlsgemeinschaft.

Juli: Einsetzung des „Kasseler Gremiums" (Marahrens, Breit, Müller-Dahlem): Versuch, einheitliche Leitung der BK wiederherzustellen.

Oktober: Erklärung des Kasseler Gremiums gegen Rosenberg. Danach wieder Inaktivität.

Himmler verbietet die theologische Ausbildungsarbeit der BK.

Dezember: Kirchenleitung der DEK durch Kerrl auf Dr. *Werner* (DC) übertragen, der trotz großen Widerstandes der BK bis 1945 amtieren kann.

6*

1938   Frühjahr und Sommer: Auseinandersetzung um den T r e u -
        e i d der Geistlichen auf Hitler.

        September: G e b e t s g o t t e s d i e n s t der BK anläßlich der
        Tschechenkrise. Schwere Angriffe der SS auf die BK.

        Oktober: Vergebliche Versuche *Kerrls*, mit Hilfe der
        „Mitte" die DEK neu zu ordnen. Gegenvorschläge der
        Landeskirchenführerkonferenz abgelehnt.

1939   Versuch Kerrls, eine Einheitsfront aus DC und Mitte zu
        bilden, führt im

        April zur G o d e s b e r g e r E r k l ä r u n g. Abgemilderter
        Text Kerrls („5 Sätze") auch von Marahrens unter-
        schrieben. Schwere Angriffe der BK, Krise im Lutherrat.
        Kerrls Versuche gescheitert.

1939—1945   **5. Nationalsozialismus und Kirche im 2. Weltkrieg**

1939   August: Bildung eines „G e i s t l i c h e n V e r t r a u e n s r a t e s"
        für die Dauer des Krieges (Marahrens, Schultz-Mecklen-
        burg, Hymmen, später noch O. Weber).

        Fortgang der antichristlichen Aktionen:

1940   Frühjahr: Die „13 Punkte" im Warthegau proklamieren
        scharfe Trennung von Kirche und Staat. Beschränkung
        der kirchlichen Mitgliedschaft auf Volljährige;

        Juli: Verbot der Verteilung kirchlichen Schrifttums im
        Heer;

1941   Februar: Verbot der kirchlichen Presse;

        Juni: Verbot kirchlichen Dienstes in Kranken-, Heil- und
        Pflegeanstalten.
        Reichsleitung NSDAP erklärt Nationalsozialismus und
        Christentum für unvereinbar *(Bormann-Erlaß)*.

        **Entwicklung des nationalsozialistischen Staates zum
        vollen Unrechtsstaat**

1940   Beginn der „E u t h a n a s i e". Im Juli Protest Bischof
        Wurms und Bischof *Graf Galens* (kath.) dagegen.

1942   scharfe J u d e n v e r f o l g u n g mit dem Ziel der Ausrottung.

1943   Protest Bischof *Wurms* dagegen.
        Bischof Wurm „Sprecher" d e r Kirche gegen den Staat.

1942/43   neue **Einigungsaktion von Bischof Wurm** (Versuch, BK
        und Mitte zusammenzuschließen). Vorstufe der Regelung
        nach dem Krieg.

1948   Gründung der Vereinigten Evangelisch-Lutherischen Kirche.
Neukonstituierung der Evangelischen Kirche in Deutschland.

§ 59. Das englische Kirchenwesen seit der glorreichen Revolution

1689   regelte die Bill of rights äußerlich die kirchlichen Verhältnisse. **Die Rechte der Dissenters** setzte

1689   das **Toleranzedikt** fest. Innerlich wurde die Episkopalkirche vom Latitudinarismus beherrscht, dem aber schon bald der **Deismus** zur Seite trat. In den Bahnen von Herbert von Cherbury und John Locke (vgl. § 48) haben

(† 1722, † 1733) die Deisten *John Toland,* Matthews Tindal und andere eine „Naturreligion" als Vernunftreligion vertreten (Toland, Christianity not mysterious; Tindal, Christianity as old as the creation). Der Deismus wurde seit

1739   in der Öffentlichkeit zurückgedrängt durch den **Metho-**
(† 1791) **dismus,** begründet von den Brüdern **John Wesley** (bekehrt 1738) und *Charles Wesley,* sowie *George Whitefield.*

1797   war der Prozeß der langsamen Loslösung von der anglikanischen Kirche mit der Vollendung der Verfassung beendet.

In der anglikanischen Kirche selbst löste die methodistische Bewegung eine Erweckung aus, die

1804   zur Gründung der British and Foreign Bible Society führte und

1807   unter dem Einfluß von *William Wilberforce* die Unterdrückung des Sklavenhandels erkämpfte. Bestimmend für die Geschichte der anglikanischen Kirche aber wurde

1833 ff.   die **Oxfordbewegung,** geführt von *Henry Newman* (später römischer Kardinal) und *Edward Pusey,* die als „Tractarianismus" begann, aber im „Ritualismus" endete; sie hat das kirchliche Leben ungeheuer vertieft, es aber auch „katholisiert".

Als Gegenbewegung hat eine Zeitlang die Broad Church
(† 1834) Party gewirkt, von *S. T. Coleridge* geistig geformt, die
1860   durch die Oxford-Essays mit ihrem Liberalismus eine starke Protestbewegung auslöste. Eine Gegenbewegung gegen die Oxforder war auch die

1846   gegründete „Evangelische Allianz", die unter Führung
(† 1847) des Bahnbrechers kirchlich-sozialer Arbeit *Thomas Chalmers* alle Christusgläubigen welcher Denomination auch immer

zusammenführen wollte und innerhalb der anglikanischen
Kirche zur Bildung der 3. Richtung evangelical move-
ment führte. Die sozialpolitischen Tendenzen wurden

(† 1872)   aufgenommen durch *F. D. Maurice* und fortgeführt von
(† 1945)   *William Temple*.

Seit 1867   vereinigt die Lambeth-Conference die anglikanischen
Bischöfe der Welt in einem Turnus von 10 Jahren.

§ 60. Das nordamerikanische Kirchentum

Seit 1620   begründeten puritanische Einwanderer theokratisch kon-
zipierte Staaten im Osten der heutigen USA, aber schon

1647   konnte *Roger Williams* in Rhode Island und *William Penn*
1682   in Pennsylvanien die Trennung von Staat und Kirche
durchführen, die dann für die amerikanische Geschichte
kennzeichnend wurde. Daneben wurden entscheidend die
großen Erweckungen, deren erste

1734   *Jonathan Edwards* auslöste, der mit dem Methodisten George
Whitefield eng zusammenarbeitete.

1799—1802   folgte eine ebenso stürmische im Mittelwesten. Die Erweckungen hatten die Vorherrschaft der pietistisch be-
stimmten Kirchen in den USA zur Folge.

Die Zeit der Staatsgründung
1776—1783   nötigte oder veranlaßte auch die Kirchen, sich von England
freizumachen und zu verselbständigen. Sie gewannen zugleich ein gesamtamerikanisches Bewußtsein, das schon
früh zu überdenominationeller Arbeit führte:

1810   American Board of Commissioners for foreign mission,
1816   American Bible Society,
1824   American Sunday-School Union,
1825   American Tract Society.

Der Bürgerkrieg
1861—1865   und schon vorher die Sklavenfrage riefen viele Spaltungen
hervor. Aber Erweckungen führten auch wieder zu inter-
denominationellen Zusammenschlüssen:

1850   Young Mens' Christian Association (YMCA);
1867   Evangelical Alliance.
1908   führte das **Federal Council** of the churches of Christ in
America die evangelischen Kirchen zu gemeinsamer Arbeit
zusammen, vor allem auch zu gemeinsamer sozialer Tätigkeit;

1908	Social Creed beschlossen (1932 revidiert). Doch ist der liberale Fortschrittsoptimismus des beginnenden 20. Jh.s heute weithin in Frage gestellt.
1950	wurde das Federal Council zum National Council of the Churches of Christ umgebildet, das damals 36 Millionen evangelischer und orthodoxer Christen umschloß; vier Abteilungen: Christian Life and Work, Christian Education, Home Missions, Foreign Missions.

§ 61. Die Ausbreitung des Christentums seit dem 16. Jahrhundert

	Die Entdeckung Amerikas
1492	und des Seeweges nach Indien, sowie die Gründung von spanischen und portugiesischen Kolonien in Amerika, Afrika, Asien führte, den Prinzipien der Zeit gemäß, zu einer oberflächlichen Christianisierung fast der gesamten Kolonialbevölkerung. Über die Grenzen der Kolonien drang
(† 1552)	zuerst **Franz Xavér** S J.
1549	hinaus, nämlich nach Japan, wo blühende Anfänge aber
1638—1640	in einer Verfolgung erstickt wurden.
(† 1610)	In China begann der Italiener *Matteo Ricci* S J.
1572	die Arbeit, mit *Adam Schall* sich den chinesischen Gebräu-
(† 1622)	chen stark anpassend, was zum „chinesischen Ritenstreit" führte.
	In Vorderindien folgte Xavér *Roberto de Nobili* S J.
1606	auch er in der Akkommodation sehr weitgehend, doch von Rom stark eingeschränkt.
1622	wurde die ganze römisch-katholische Missionsarbeit in der **Congregatio de Propaganda fide** an der Kurie zusammengefaßt.
1598	begann die evangelische niederländisch-indische Kolonialmission ihre Arbeit.
1646	In Nordamerika hat *John Eliot* dem Gedanken der Indianer-
(† 1690)	mission Bahn gebrochen. Seine Arbeit führte auch zur Gründung der ersten Missionsgesellschaften:
1698	Society for Promoting Christian Knowledge (SPCK),
1701	Society for the Propagation of the Gospel in the foreign parts (SPG).
	Der Pietismus brachte einen neuen Aufschwung.

1706	begann die Arbeit der dänisch-hallischen Mission (Ziegenbalg) in Indien, ab
1721	missionierte *Hans Egede* in Grönland,
1732	trat die **Brüdergemeine** unter *Zinzendorf* in die Missionsarbeit ein.
	Methodisten und Baptisten haben am Ende des 18. Jh.s zuerst in England einen neuen Impuls gegeben.
1792	entstand die Baptist Missionary Society,
1795	die Londoner (kongregationalistisch),
1799	die Church Missionary Society (anglikanisch),
1814	die Wesleyan Missionary Society.
	Von England angeregt entstand
1797	die Niederländische Missionsgenossenschaft.
	Die Deutsche Christentumsgesellschaft in Basel gab die Anregung für Deutschland.
1815	entstand die Basler Missionsgesellschaft,
1824	die Berliner,
1828	die Rheinische,
1836	die Norddeutsche, die Leipziger und die Goßnersche Missionsgesellschaft.
	Die Erweckung steuerte
1849	noch die Hermannsburger Mission bei (Ludwig Harms),
1876	die Breklumer und als späte Frucht
1889	die Neuendettelsauer Mission.
	Eine ganze Reihe kleinerer Gesellschaften entstammen dem Geist der Gemeinschaftsbewegung seit 1882.
1888	Erste Gnadauer Konferenz.
	Naturgemäß drängte die Missionsarbeit zu überkonfessionellen **Zusammenschlüssen.** Schon
1810	wurde der American Board of Commissioners for Foreign Missions gegründet,
1866	folgte die Kontinentale Missionskonferenz.

§ 62. Die ökumenische Bewegung des 20. Jahrhunderts

	Die im engeren Sinn ökumenische Arbeit von heute begann
1910	mit der Weltmissionskonferenz in Edinburgh. Weitere folgten 1928 in Jerusalem, 1938 Tambaram (Indien), 1947 Whitby (Kanada), 1952 Willingen, 1957/58 in Achimota (Ghana).

Der 1. Weltkrieg hat den ökumenischen Gedanken ge-
fördert, so daß

1925   die erste Weltkonferenz für Praktisches Christentum in Stockholm zusammentreten konnte. In Edinburgh
ist 1910 auch der Gedanke der Faith and Order-Bewe-
gung gekeimt, die ihre erste Konferenz

1927   in Lausanne hielt.

1937   tagte eine zweite Weltkonferenz für Praktisches Christentum in Oxford, von Faith and Order in Edinburgh.

1948   konnte in Amsterdam eine gemeinsame Konferenz der
beiden genannten Gruppen (Faith and Order, Praktisches
Christentum) abgehalten werden, die den „Ökumenischen Rat der Kirchen" konstituierte.

1952   brachte Faith and Order in Lund eine neue christologische
und abendmahlstheologische Fragestellung in die Debatte,
die sich auf der Zweiten Vollversammlung des Ökumenischen Rates der Kirchen 1954 in Evanston schon auswirkte.

1961   Dritte Vollversammlung des Ökumenischen Rates der
Kirchen in Neu Delhi: Integration des Internationalen
Missionsrates (1921 gegründet) in den Ökumenischen Rat
der Kirchen. Aufnahme der russ.-orthodox. Kirche.

1963   Vierte Weltkonferenz für Faith and Order in Montreal.

1965   Lateinamerikan. Konzil in Medellín: Befreiungstheologie.

1966   Weltkonferenz für Kirche und Gesellschaft in Genf.

1968   Vierte Vollversammlung des Ökumenischen Rates der
Kirchen in Uppsala: Antirassismusprogramm.

1975   Fünfte Vollversammlung des Ökumenischen Rates der
Kirchen in Nairobi.

1983   Sechste Vollversammlung des Ökumenischen Rates der
Kirchen in Vanvouver.

1991   Siebte Vollversammlung des Ökumenischen Rates der
Kirchen in Canberra.

1998   Achte Vollversammlung des Ökumenischen Rates der
Kirchen in Harare.

§ 63. Die Christenverfolgungen des 20. Jahrhunderts

Zeitlich beginnen sie mit einem blutigen Vorgehen der
1894—1896   Türkei gegen die **Armenier.**
Nachdem das Jahr 1909 eine neue Welle gebracht hatte,
kam es

1916	zu einem totalen Vernichtungsfeldzug gegen sie, der praktisch der Todesgang des armenischen Volkes war.
1921/22	rief die Abtretung Smyrnas an Griechenland schwere blutige Pogrome gegen die Griechen Kleinasiens hervor, der Rest wurde evakuiert, so daß Kleinasien nun praktisch ohne Christen ist.
	Auch die Assyrer sind schon 1895 mitbetroffen worden, aber erst
1933	traf sie der eigentliche Schlag, den nur kleine Reste des Volkes überlebten.
1917—1943	Die zahlenmäßig schwerste Verfolgung hat die Christenheit in **Rußland** zu erdulden gehabt. Sie verlief in vier Wellen:
1917—1920	brachte die Revolutionszeit zwar viel Not, auch Tod über sie, aber noch keine organisierte Verfolgung; zu dieser kam es erst
1922	auf Beschluß der Volkskommissare.
1928 ff.	hat der Kampf gegen das Kulakentum etwa 5 Millionen von Christen mitbetroffen. Die schwerste Welle kam aber
1937 ff.	als durch die Volkszählung deutlich wurde, wieviel Sowjetbürger sich noch zum christlichen Glauben bekannten.
1943	ging die Sowjetregierung zur Duldung über. Doch sind die baltischen Völker der Letten, Esten und Litauer
1944/45	einer schweren Bedrückung ausgesetzt gewesen.
	Auch auf dem Balkan war die Lage sehr schwierig.
1925/27	schon und wieder seit (1949 China marxistisch)
1950	ist die Christenheit Chinas Verfolgungen ausgesetzt, bes. nach 1966 (Kulturrevolution).
1910—1945	Während der japanischen Herrschaft haben die Christen Koreas schweren Verfolgungen vorbildlich widerstanden und noch einmal während der kommunistischen Besetzung.
1926—1938	hat ein kommunistisch infizierter Liberalismus eine schwere Bedrückung über die Christenheit Mexikos gebracht, bei der allein über 5000 Priester den Tod fanden.
1936	führte die Revolution auch in Spanien zu einer Verfolgung, die 6700 Priestern das Leben kostete.
1933—1945	In Polen und Deutschland hat der Nationalsozialismus viele Martyrien herbeigeführt, für die genaue Zahlenangaben aber schwer möglich sind.
Seit 1945	kommt es immer wieder zu Christenverfolgungen in kommunistischen Ländern.
	Auf jeden Fall ist das 20. Jh. das an Verfolgung blutigste der ganzen bisherigen christlichen Geschichte geworden.

Synoptische Zeittafeln

bearbeitet von

Dr. theol. Horst Reller

POLITISCHE GESCHICHTE	KIRCHENGESCHICHTE	

POLITISCHE GESCHICHTE

30 v.–14 n. Augustus

14–37 Tiberius

37–41 Caligula
41–54 Claudius

54–68 Nero

64 Brand Roms
69–79 Vespasian
79–81 Titus
81–96 Domitian

98–117 Trajan

117–138 Hadrian

138–161 Antoninus Pius

161–180 Marc Aurel

180–192 Commodus

193–211 Septimius Severus

211–217 Caracalla
218–222 Elagabal

222–235 Alexander Severus

235–238 Maximinus Thrax
244–248 Philippus Arabs
249–251 Decius

ca. 250 Goten an der Donau

260–268 Gallienus
Germanen überfluten d. Reich

Christenverfolgungen

43/44 Verfolgung in Jerusalem
(Jakobus †)

61 oder 62 Jakobus (Jesu Bruder)
gesteinigt
ca. 60 Paulus in Rom hingerichtet
64 Neronische Verfolgung (Petrus ?)
ca. 95 Verfolgung in Rom und
Kleinasien

ca. 110 Verfolgung in Antiochien
Ignatius Märtyrer in Rom
111/113 Rescript Trajans an Plinius
gegen die Christen
112 Verfolgung in Bithynien
(Plinius–Trajan)

ca. 140 Verfolgung in Athen
156 (oder 166) Polykarp v. Smyrna
Märtyrer

ca. 165 Justin in Rom Märtyrer
177 Verfolgung in Lyon u. Vienne

202 f. Verfolgung in Alexandria und
Nordafrika

*250/251 Decische (= erste allg.) Ver-
folgung*
254 Origenes Märtyrer (Caesarea)
257/258 Valerianische Verfolgung
258 Cyprian Märtyrer

KIRCHENGESCHICHTE

28/29 Johannes d. Täufer
*30 (sonst 33) (14. Nisan = 7. April) Jesus
gekreuzigt*
33 oder 35 Bekehrung des Paulus, Ara-
bienreise
ca. 35 Paulus in Jerusalem, 14 Jahre in
Syrien u. Cilicien
48 oder 49 Apostelkonzil
ca. 50-52 Paulus in Korinth (Gallio)
ca. 52-55 Paulus in Ephesus und Mazedo-
nien
ca. 56-58 Paulus in Jerusalem gefangen
ca. 58-60 Paulus in Rom
66 Flucht der Judenchristen nach Pella

Apostolische Väter

ca. 95 1. Clemensbrief
Didache
ca. 115 Ignatiusbriefe

ca. 130 Barnabasbrief

ca. 140 Hirt des Hermas
ca. 155 Polykarpbrief
ca. 160 Brief an Diognet

ca. 138 Marcion in Rom
144 Marcionitische Kirche

um 200 Königshaus von Edessa (Ost-
syrien) christlich
172/173 (sonst 156/7) Montanus (Phrygien)
178 Irenäus, Bischof von Lyon
(Adversus haereses)
189–198 Victor Bischof von Rom
(Passastreit)

Um 185 bezeugt Irenäus Christen in den
Provinzen Ober- u. Unter-Germa-
nien
ca. 190 ff. Alexandrinische Katechetenschule
203 *Origenes*, Leiter der Katechetenschule
202/207 Tertullian Montanist

217–222 Kallist Bischof v. Rom
Hippolyt Gegenbischof in Rom
(Kirchenordnung)
nach 220 Tertullian †
224 Chronik v. Arbela bezeugt 20 Bi-
schofssitze im Tigrisgebiet
231 ff. Origenes in Caesarea († 254)
248/249 Cyprian, Bischof v. Carthago
251 ff. Schisma in Rom u. Carthago
(Lapsi)
251–253 Cornelius B. v. Rom
254–257 Stephanus B. v. Rom
255–257 Ketzertaufstreit zwischen Karthago
und Rom

heidnischen Römerreich

THEOLOGIE	RELIGIONSGESCHICHTE	GEISTESGESCHICHTE
	Judentum	
	40 v.–4 v. Herodes d. Gr.	
	6 ff. n. Chr. Judäa unter Prokuratoren	17 Ovid †, Livius †
	26–36 Pontius Pilatus Prokurator	
	nach 40 Philo †	
	49 (?) Juden aus Rom vertrieben	
Neues Testament		
52 ff. Paulusbriefe: 1. Thessalonicher		
55/56 1. Korinther		
56 Galater		
56/57 2. Korinther		
58 Römer		
62/63 Philipper, Philemon, Kolosser (u. Epheser?)		
	66 ff. Jüdischer Aufstand	65 Seneca †
	70 *Zerstörung Jerusalems*	79 Vesuvausbruch (Pompeji und Herculaneum), Plinius d. Ä. †
nach 70 Markusevangelium		
80/100 Matthäusevangelium, Lukasevangelium, 1. Petrusbrief		
85/95 Hebräerbrief	93/94 Josephus, Antiquitates	
vor 95 Jakobusbrief	ca. 100 IV. Esra	
ca. 95 Johannesapokalypse		ca. 100 Epiktet, Enchiridion
vor 100 Apostelgeschichte		
um 100 Johannesevangelium		
vor 63 (?) ca. 100 (?) ca. 140 (?) Pastoralbriefe		
	132 Bar Kochba-Aufstand	nach 117 Tacitus †
	135 Wiederaufbau Jerusalems (Aelia Capitolina)	ca. 120 Plutarch †
Apologeten	ca. 137 Rabbi Ben Akiba, Schöpfer der Mischna, hingerichtet	
ca. 140 Aristides		
150 Apologie Justins		
Tatian, Λόγος πρὸς ''Ελληνας		
Diatessaron	Gnosis des Basilides in Ägypten	
Athenagoras, Πρεσβεία περὶ Χριστιανῶν	Gnosis des Valentin in Ägypten	
Theophilus v. Antiochien Πρὸς Αὐτόλυκον	Rom (ca. 160–170), Cypern, Verbreitung des Mithraskultes	
ca. 197 Tertullian, Apologeticum (Ferner auch: Clemens Alex, Origenes, Eusebius v. Caes., Augustinus: Gottesstaat)		Celsus, 'Αληθὴς λόγος
ca. 190 ff. Monarchianer in Rom Alexandria: Pantaenus, Clemens Alexandrinus		
um 180 Kanon des NT i. g. abgeschlossen (Canon Muratori)		vor 200 Galen †
um 200 Sabellius (modalist. Monarchianismus)	Verehrung des syr. Sonnengottes Elagabal	Ammonius Sakkas (Schüler: Origenes Plotin)
Hippolyt, Refutatio		
220/30 Origenes, Περὶ ἀρχῶν		
245/50 „ , Contra Celsum Hexapla, Kommentare		
250 Novatian, De trinitate		244–270 Plotin (Begründer des Neuplatonismus) in Rom
251 Cyprian, De unitate ecclesiae		
ca. 260 Streit der Dionyse (Rom u. Alexandria).		

POLITISCHE GESCHICHTE	KIRCHENGESCHICHTE

Christenverfolgungen Forts.

258 ff. 40 Jahre Duldung

270–275 Aurelian Restitutor imperii. Vordringen der Alemannen (Donau)
284–305 Diocletian
  293 Reichsreform
  Osten: Diocletian Augustus (Galerius Caesar)
  Westen: Maximinian Aug. (Constantius Chlorus Caesar)
306–337 Konstantin d. Gr.

um 300 Christentum in Armenien stark verbreitet, in Britannien nachweisbar

303–313 Diocletianische Verfolgung

um 300 Antonius, Beginn des eremitischen *Mönchtums*
ca. 320 Pachomius: 1. Kloster
306 ff. Meletianisches Schisma in Ägypten (lapsi)

311 { Methodios v. Ol. Märtyrer
     Toleranzedikt (Galerius, Konstantin, Licinius)

313 Mailänder Toleranzbeschlüsse, Edikt des Licinius

  312 Pons Milvius: Konstantin Alleinherrscher im Westen
  313 Licinius Alleinherrscher im Osten

311 ff. Donatistisches Schisma (Wirksamkeit der Sakramente bei gefallenen Priestern: lapsi)
314 Synode v. Arles (Donatisten, Ketzertaufe verurteilt)
314–335 Silvester v. Rom (angebl. Donatio Constantini)
321 ff. Duldung der Donatisten
325 in „Gothien" (Krim) Bischofssitz

2. Die römische

POLITISCHE GESCHICHTE	KIRCHENGESCHICHTE

306–337 Konstantin d. Gr.
  324 Konstantin Alleinherrscher (Licinius besiegt)
  330 Einweihung v. Konstantinopel

318 Synode zu Alexandrien: Arius exkommuniziert
325 Konzil zu Nicäa (1. ök. Konzil)
328 Athanasius Bischof von Alexandria. Rückkehr der Arianer
335–337 Athanasius verbannt in Trier
337 Konstantius beginnt antinicänische Kirchenpolitik

  337 Konstantin †
337 Konstantius im Osten
  Konstantin II. im Westen (–340)
  Konstans 337–350

339–346 Athanasius in Rom
340 Synode zu Rom: Athanasius orthodox (Bischof Julius I.)
341 Kirchweihsynode von Antiochia (antinicänisch)
343 Serdika: Einigungsversuch zwischen Ost und West mißlingt
344 Synode zu Antiochia: Entgegenkommen der Orientalen: ὅμοιος
346 Rückkehr des Athanasius nach Alexandrien

350–361 Konstantius Alleinherrscher

250 ff. Christianisierung der Westgoten

354 Augustin geb.

353 u. 355 Synoden v. Arles und Mailand: Verurteilung des Athanasius
359 Synoden v. Rimini und Seleucia: Nicänum
362 Synode v. Alexandrien: Athanasius einigt sich mit den Kappadokiern

361–363 Julian (Apostata)

373 Ambrosius Bischof v. Mailand

379–395 Theodosius d. Gr.
  im Osten (394 Alleinherrscher)

348–568 Mission der „Kleingoten" unter d. germanischen Stämmen an der Donau
383 Wulfila †
385/95 Apollinaris v. Laodicea †
386 Hieronymus v. Rom nach Bethlehem (Vulgata)

380 Edikt des Theodosius: Alleinberechtigung des Nicänums
381 Konzil zu Konstantinopel: Nicäno-Konstantinopolitanum (2. ök. Konzil)
386 Kampf des Ambrosius gegen die Homöer zu Mailand (Justina)

Augustinus

386 Bekehrung
391 Presbyterweihe
395 Bischof v. Hippo Regius
397–400 Confessiones
ca. 400 Contra Faustum Manichäum, De baptismo contra Donatistos
411 Konzil zu Karthago, Überwindung der Donatisten
411 ff. Pelagianischer Streit
412 ff. Antipelagianische Schriften (De spiritu et litera)

398 Johannes Chrysostomus Patriarch v. Konstantinopel

408–450 Theodosius II. (Osten)
410 Alarich erobert Rom (Westgoten)

THEOLOGIE	RELIGIONSGESCHICHTE	GEISTESGESCHICHTE

268 Antiochenische Synode verurteilt
Paul von Samosata
Methodios v. Olympos (antiorige-
nistisch, biblischer Realismus)

276 (?) Mani, Begründer des Manichäismus, im Gefängnis †
Staatskult des Sol invictus

Porphyrios: *Κατὰ Χριστιανῶν λόγοι*

Jamblichus, syr. Neuplatonismus

ca. 320 Erste Einschränkung heidnischer
Kulte

Reichskirche

THEOLOGIE		GEISTES- U. KULTURGESCHICHTE

Arianischer Streit (318—381)

1. Phase 318—325

Arianer (Arius)	*Origenistische Mittelpartei* Mehrheit im Osten (Eusebius v. Nikomedien)	*Orthodoxe* Mehrheit im Westen Alexander v. Alex. Marcell v. Ancyra Hosius v. Corduba

Nicaenum ←

326ff. Grabeskirche in Jerusalem

2. Phase 325—361

Arianer (Anhomöer) Aëtius Eunomius	*Origenisten* (Homöusianer) Basil v. Ancyra Georg v. Laodicea	*Hofpartei* (Homöer) Ursacius Valens

341 Opferverbot

351 Zerstörung der heidnischen Tempel

Nicenum

Neubelebung der heidnischen Kulte
durch Julian

3. Phase 361–381

Opponenten

a. *Arianer* in Antiochia: Eudoxius

Jungnicaener
Kappadokier: Basilius d. Gr.
Gregor von Nazianz
Gregor von Nyssa

b. *Orientalen* gegen Homousie des Geistes
Pneumatomachen: Macedonius v.
Konstantinopel

381 neues Opferverbot

c. *Altnicäner* mißtrauen den Neuortho-
doxen;
Luciferianer: Lucifer von Calaris

Nicaeno-Constantinopolitanum

411ff. *Pelagianischer Streit* (418 Generalsynode von Karthago, Pelagianis-
mus verdammt)

POLITISCHE GESCHICHTE   KIRCHENGESCHICHTE

Augustinus Forts.

413–426 De civitate Dei (apologe-
tisch)

415–507 Westgoten in Gallien   418 Konzil zu Karthago: Verurtei-   Südgallisches Mönchtum (Massilien-
(Toulouse)   lung des Pelagius   ser: Johannes Cassianus, Vincenz von
                                       427 Retractationes   Lerinum) Herd des Semipelagianis-
                                                                                mus
429–534 Wandalen in Afrika
                                       430 Augustinus † (während der Be-   431 Konzil zu Ephesus
                                       lagerung von Hippo durch die
                                       Wandalen)   432 ff. (?) Patrick missioniert in Irland

440–461 Leo I. v. Rom

Seit 449 Angeln und Sachsen in Britannien

451 Schlacht auf den Katalaunischen   *451 Konzil zu Chalcedon*
Feldern (Aëtius besiegt Attila)
476 Ende Westroms (Odowakar)
                                                                               484–519 Schisma zwischen Osten und
                                                                               Westen
481–511 Chlodwig   ca. 485 Persische Kirche nestorianisch
486 Sieg Chlodwigs über Syagrius bei
Soissons
493–553 Ostgoten in Italien (Theode-   492–496 Gelasius I. v. Rom
rich)
ca. 500 Einwanderung der Slawen in   498 (?) Chlodwig katholisch getauft. Be-
Ostdeutschland   ginn der Christianisierung der Franken
507 Chlodwig besiegt die Westgoten   (kath.) (516 Burgunder katholisch)
507–711 Westgotenreich in Spanien
511–687 Merowingische Teilungen   ca. 510 Dionysius Exiguus: Kirchenrecht-
und Thronkämpfe   liche Sammlungen

3. Die Reichskirche unter

POLITISCHE GESCHICHTE   PAPSTTUM   KIRCHENGESCHICHTE

519–527 Justin I. (Osten)   519 Ende des Schismas

526 Theoderich d. Gr. †   525 Dionysius Exiguus begründet christl.
                                                                               Zeitrechnung
527–565 Justinian I. d. Gr.
531 bzw. 534 Franken besiegen die   *529 (?) Benedikt v. Nursia*
Thüringer und die Burgunder   begründet Monte Cassino
533–534 Sieg Ostroms über die Wan-
dalen und 535–553 über die Ostgoten

                                                                               540 Cassiodor ins Kloster
                                                                               (Historia tripartita)

um 550 Awaren u. Slawen an der   ca. 553 ff. Monophysitenkirchen in Syrien
Donaugrenze   und Ägypten *(Jakob Baradai)*

THEOLOGIE	GEISTES- U. KULTURGESCHICHTE

GEISTES- U. KULTURGESCHICHTE

416 Hypatia (Neuplatonikerin) in Alexandria ermordet

Nestorianischer Streit
428 Nestorius wird Patriarch von Konstantinopel
429 Cyrill v. Alexandrien vertritt das θεοτόκος für Maria
431 Konzil v. Ephesus: Nestorius verdammt (3. ök. Konzil)
433 Union v. Ephesus: Conciliabulum
435 Nestorius verbannt (Ägypt.)

ca. 429–529 Semipelagianischer Streit (gegen Augustins Praedestinations- und Gnadenlehre)

438 Codex Theodosianus
(1. amtl. lat. Rechtskodification)

Eutychianischer Streit
448 Eutyches verdammt (μία φύσις)
449 Lehrbrief Leos (Zwei Naturenlehre)
449 Latrocinium Ephesinum (Dioskur v. Alexandrien) Eutyches orthodox
451 Konzil zu Chalcedon (Zwei-Naturen-Lehre) = 4. ök. Konzil

476 Monophysitische Streitigkeiten (-681)

482 Henotikon Zenons (Chalcedonense außer Geltung gesetzt)

ca. 500 Dionysius Areopagita

485 Proklus † (Spätplatonismus)

Justinian und ihr Zerfall

KIRCHENGESCHICHTE	THEOLOGIE	GEISTES- U. KULTURGESCHICHTE

Theopaschitischer- und Dreikapitelstreit
seit 519 Erbitterung der Monophysiten über die Wiederherstellung des Chalcedonense

416 Hypatia ...

524 Boëthius hingerichtet (Aristotelesübersetzung, De consolatione philosophiae)

529 *Konzil v. Orange:* Caesarius v. Arles (Annahme von 25 Sätzen Augustins)

529 Philosophenschule in Athen aufgehoben
529 Codex Justinianus (Anfang des Corpus iuris civilis)

seit ca. 535 Organisation monophysitischer Nationalkirchen in Ägypten u. Syrien (Jakob Baradai)
543 Origenes und die antiochenische Theologie verurteilt (Dreikapiteledikt Justinians)
544–553 Dreikapitelstreit

537 Erbauung der Hagia Sophia

547 San Vitale
549 San Apollinare } in Ravenna

553 Konzil zu Konstantinopel (Cyrillische Deutung des Chalcedonense) 5. ök. Konzil

POLITISCHE GESCHICHTE	PAPSTTUM	KIRCHENGESCHICHTE
		Die iroschottische und die angelsächsische Kirche und ihre Mission
568 Langobarden in Italien		ca. 565 Columba d. Ä. gründet Kloster Hi (Jona). Apostel Schottlands
	590–604 *Gregor d. Große*	590 Columba d. J. gründet Kloster Luxeuil
	Anfänge des Kirchenstaates	595 ff. Mission Roms unter Angelsachsen in Kent (Augustin)
622 *Hedschra* (Auszug Mohammeds von Mekka nach Medina). Beginn der arabischen Zeitrechnung		610–615 (†) Columba d. J. am Bodensee und in Oberitalien (Kloster Bobbio)
632 Mohammed †		625–633 Mission der Iroschotten in Northumbrien
635 ff. Siegeszug der Araber		
638 Eroberung Jerusalems	638 Honorius I. †	
640–643 Eroberung Ägyptens und Persiens		
	649–653 Martin I.	
		um 660 drei Kirchen: altbritisch, iroschottisch, römisch
668–685 Konstantin IV. Pogonatus		664 Synode zu Streaneshalch (Whitby), Sieg Roms
673 Araber vor Konstantinopel geschlagen		672/73 Bonifatius (Wynfrith) in Wessex geboren. Wissenschaftliche Blüte in den angelsächsischen Klöstern
698 Araber erobern Karthago		
711 Araber in Spanien		Iroschottische Mission in Süddeutschland
714–741 Karl Martell		Angelsächsische Mission bei den Friesen (Willibrord)
717–741 Leo III. (der Isaurier)	715–731 Gregor II.	719–754 *Bonifatius in Deutschland*
	731–741 Gregor III.	
732 *Schlacht bei Tours u. Poitiers* Araber v. Karl Martell geschlagen		
741–768 Pippin d. Kl.		
741–775 Konstantin V.	741–752 Zacharias	753/54 (?) (800?) Konstantinische Schenkung
		756 Pippinsche Schenkung
754 Salbung Pippins durch den Papst	752–757 Stephan II.	

570 (?) Mohammed geb.

589 Westgoten katholisch
(Syn. v. Toledo, Rekkared)
594 Gregor v. Tours: 10 Bücher fränki-
scher Geschichte

589 Konzil zu Toledo: filioque

Gregor d. Gr.: Liber regulae pastora-
lis, Moralia

622–680 *Monenergistischer und mono-
theletischer Streit*

622 Beginn der arabischen Zeitrechnung

632 Mohammed †

633 Monenergist.-monophysit. Union
Widerspruch der Chalcedonenser
638 Heraklius verbietet den Energie-
streit
648 Constans II. verbietet den
Willensstreit
648 Lateransynode verurteilt
Monotheletismus

nach 650 Paulicianer auf dem Balkan

650 ff. Mission der Nestorianer von Persien
aus in Indien u. China

680/81 *Konzil zu Konstantinopel*
(6. ök. Konz.)

680/81 Konzil zu Konstantinopel
(Trullanum I, 6. ök. Konz.)
Sieg des Dyotheletismus

Wissenschaftliche Blüte in den angelsächsi-
schen Klöstern

692 Konzil zu Konstantinopel
(Trullanum II.) Zölibatszwang für
Presbyter und Diakonen verboten

Bonifatius in Deutschland

719 Mission in Friesland
722 Romreise: Bischofsweihe durch
den Papst, Gehorsamseid
723–732 Organisator und Missionar
unter Hessen und Thüringern

732 Erzbischof u. päpstlicher Vikar
für Germanien. Bayern, Thürin-
gen kirchlich organisiert
748–754 Bistum Mainz u. Kloster
Fulda

754 bei Dokkum/Friesland
erschlagen

Bilderstreit

726 Kaiser Leo III. beginnt den
Kampf gegen die Bilder
730 Verbot d. Bilderverehrung durch
Leo III. (gegen die Päpste
Gregor II. u. III.)

ca. 750 *Johannes Damascenus †*
(Schriften für den Bilderkult)
754 Reichssynode zu Konstantinopel:
Bilderverehrung verdammt
(K. Konstantin V.)
787 Synode zu Nicäa (7. ök. Konz.).
Bilderverehrung wieder zu-
gelassen (Kaiserin Irene)
790/92 Libri Carolini (Ablehnung des
Bilderkultes durch Karl d. Gr.)
794 Synode zu Frankfurt: Bilderverehrung u. Bilderzerstörung ver-
worfen
825 Ludwig d. Fr. f. Bilderverehrung
843 Synode zu Konstantinopel: Entscheidung für Bilderverehrung

735 Beda Venerabilis †
(Historia eccl. Anglorum)

II. MITTEL

1. Das karolingische

POLITISCHE GESCHICHTE	PAPSTTUM	KIRCHENGESCHICHTE
768–814 Karl d. Große		
772 ff. 30 Jahre Sachsen-Kriege	772–795 Hadrian I.	*Mission*
		776 Erste Massentaufen in Sachsen
782 Blutbad bei Verden		
		785 Taufe Widukinds
791 Unterwerfung der Awaren		seit 787 Bistumsgründungen in Sachsen
	795–816 Leo III.	
800 Kaiserkrönung		Slawen-Mission (Salzburg, Passau, Verden)
813 Kaiserkrönung Ludwigs d. Fr. in Aachen		Beginn der Dänen- und Schweden-Mission (Ansgar)
814–840 Ludwig d. Fromme		
830 ff. Fränkische Thronkämpfe		831 Erzbistum Hamburg (864 Hamburg-Bremen)
ca. 830 Araber in Sizilien und Unteritalien		
843 Vertrag v. Verdun (Reichsteilung)		
843–876 Ludwig d. Deutsche	ca. 850 Pseudo-Isidorische Dekretalen (darin Donatio Constantini)	
843–877 Karl d. Kahle		
843–853 Lothar I.	858–867 *Nikolaus I.*	
860 Normannen in Rußland (Rurik)		
		864 Bulgaren (Boris) griechisch-katholisch
871–901 Alfred d. Gr. Sicherung Englands gegen die Dänen		867 Anschluß der Mähren-Missionare Cyrill und Methodius an Rom
876–887 Karl d. Dicke		
899–911 Ludwig d. Kind		

2. Der Aufstieg

	896–996 Papsttum in der Hand der römischen Adelsparteien	
911–918 Konrad I.		
919–936 Heinrich I.		
933 Schlacht bei Riade Heinrich I. besiegt die Ungarn		
936–973 Otto I.		*Mission*
955 Schlacht auf dem Lechfelde (Ungarn geschlagen)		947 Dänen-Bistümer Ripe, Aarhus, Schleswig
962 Kaiserkrönung Ottos I.	962 Privilegium Ottonianum (Schenkungsversprechen an die Päpste bestätigt)	948 Bistümer Havelberg und Brandenburg (zu Mainz)
973–983 Otto II.		
983 Aufstand der Elbslawen		968 Erzbistum Magdeburg (Bistümer Merseburg, Zeitz-Naumburg, Meißen) Bistum Posen
983–1002 Otto III.		
		973 Bistum Prag (zu Mainz)
		988 Griech.-kath. Staatsreligion in Rußland (Kiew)
	999–1003 Silvester II.	997 Adalbert v. Prag † (als Märtyrer bei der Mission unter den Preußen)
		vor 1000 Christianisierung Norwegens
		1000 Gründung der Erzbistümer Gnesen u. Gran (Christianisierung der Ungarn, Stephan der Heilige 997–1038)

ALTER
Zeitalter

KIRCHENGESCHICHTE	THEOLOGIE	GEISTES- U. KULTURGESCHICHTE
	780–799 Adoptianischer Streit (Spanien)	*Karolingische Renaissance* Alkuin (ca. 730–804) Kommentare De trinitate Philosophische Schriften
	791 Libri Carolini (Bilderkult verurteilt)	Paulus Diaconus (ca. 726–799 [?]) Historia Langobardorum
794 Synode zu Frankfurt		Einhard (ca. 770–840): Vita Caroli
	809 Synode zu Aachen (filioque)	805 Aachener Münster geweiht
825 Synode zu Paris (Bilder)	825 Synode von Paris bestätigt Bilder im Westen	
843 Konzil zu Konstantinopel	843 Bilderkult im Osten bestätigt 844 ff. Abendmahlsstreit (Paschasius Radbertus, Ratramnus) 848–ca. 868 Praedestinationsstreit (Gottschalk) 856 Hrabanus Maurus † (Abt v. Fulda, Erzbischof v. Mainz)	um 850 Heliand ca. 850 – nach 877 Joh. Scotus (Eriugena) Leiter der Hofschule Karls d. Kahlen
867 Schisma zwischen Rom u. Konstantinopel (Nikolaus I. und Photius)		ca. 865 Slawische Bibelübersetzung ca. 870 Evangeliendichtung des Otfried v. Weißenburg
	882 Hinkmar v. Rheims †	

der Papstkirche

910 Kloster Cluni (Burgund) gegr.		
927–942 Abt Odo von Cluni (Klosterreform, Bildung der Congregation)		
936 ff. Otto I. macht die Bischöfe zu Reichsfürsten		*Ottonische Renaissance* Blüte des geistigen Lebens in den sächsischen Klöstern ca. 960 ff. Roswitha v. Gandersheim, Widukind v. Corvey (Res gestae Saxonicae)
		Stiftskirche in Gernrode/Harz Bernward v. Hildesheim
Asketische Bewegung in Italien; schroffes Eremitentum Nilus 1005 † Petrus Damiani 1072 †		Gerbert v. Aurillac (als Papst: Silvester II.) math.-nat.wissenschaftl. Bildung

POLITISCHE GESCHICHTE	PAPSTTUM	KIRCHENGESCHICHTE
		Mission
		1000 Christianisierung Islands
1002–1024 *Heinrich II.*	1003–1046 Papsttum in der Hand römischer Adelsparteien	1008 Taufe Olafs von Schweden
1014–1035 Knut d. Gr. vereinigt England, Dänemark, Norwegen		
1024–1039 Konrad II. (Salier)		
1025 Boleslav Chrobry gekrönt u. gestorben. Zusammenbruch des polnischen Großreiches		
1030 Normannen in Unteritalien		
1039–1056 Heinrich III.	1046 Synode von Sutri: Heinrich III. setzt drei Päpste ab	
	1049–1054 Leo IX. (Brun v. Toul)	ca. 1050 Adalbert v. Hamburg-Bremen beherrscht die skandinavischen Kirchen
1056–1106 *Heinrich IV.*		Nordisches Patriarchiat geplant
	1057/58 Stephan IX. (Lösung vom Kaisertum, Bund mit Toskana). Einfluß der Reformer (Cluni) auf das Papsttum	
	1059 *Papstwahldekret Nikolaus II.* Lehnshoheit des Papstes über unteritalienische Normannenstaaten	
1066 Normannen (Wilhelm d. Eroberer) landen in England.		1066 Sturz Adalberts von Bremen
1073 Sachsenaufstand		
	Investiturstreit	*Kreuzzüge*
	1073–1085 *Gregor VII.* (Hildebrand)	ca. 1074 Kreuzzugsplan Gregors VII.
	1075 Fastensynode (Verbot der Laienvestitur)	
1076 Synode zu Worms: Absetzung Hildebrands	1076 Fastensynode Absetzung u. Bann Heinrichs IV.	
1077 (Jan.) Heinrich IV. in Canossa vom Bann gelöst		
1077–1080 Rudolf v. Schwaben Gegenkönig		
1084 Kaiserkrönung Heinrichs IV. durch Clemens III.	1084 Hildebrand flieht zu den Normannen	
	1088–1099 Urban II.	1095 Synode zu Clermont (Kreuzzugsablaß)
		1096–1099 1. Kreuzzug
	1099–1118 Paschalis II.	1099 Eroberung v. Jerusalem
		1101 Katastrophe des Kreuzheeres in Kleinasien
1105 Aufstand gegen Heinrich IV.		
1106–1125 Heinrich V.		
1111 Vertrag v. Sutri Heinrich V. erzwingt v. Paschalis II. das Zugeständnis der Investitur und die Kaiserkrönung	1112 Heinrich V. exkommuniziert	
1122 *Wormser Konkordat* Kaiser: Investitur mit Zepter Kirche: Invest. mit Ring und Stab	1118–1119 Gelasius II.	ca. 1120 in Jerusalem: Entstehung des Johanniterordens. Etwa gleichzeitig: Templerorden
	1119–1124 Calixt II.	
	1119 Bann über Heinrich V.	
1123 Wettiner in der Mark Meißen	1123 1. ök. Laterankonzil (Feier des Konkordates)	
1125–1137 Lothar v. Supplingenburg	1130–1143 Innozenz II.	
1134 Albrecht d. Bär erhält Nord- (1150 ganz) Brandenburg	1130–1138 Anaklet II. Gegenpapst	
1138–1152 Konrad III. (Staufer)	1139 2. ök. Laterankonzil (Ende des Schismas)	

KIRCHENGESCHICHTE	THEOLOGIE	GEISTES- U. KULTURGESCHICHTE
ca. 1020 Cluniacensische Reform dringt in Deutschland ein		
		1033 St. Michael in Hildesheim
		1037 Avicenna †
	ca. 1050–1080 2. Abendmahlsstreit (Berengar v. Tours, Lanfranc)	
1054 *Trennung zwischen Ost- und Westkirche*		
1070ff. Hirsauer Reform (Einfluß von Cluni)	*1070–1109 Anselm von Canterbury* 1070 Logische Schriften (Proslogion, ontologischer Gottesbeweis) 1094–1098 Cur deus homo	
1074 Fastensynode (Zölibat)		
	Beginn der *Scholastik*	
		Nominalismus (Roscellin v. Compiègne)
		Realismus (Wilhelm v. Champeaux)
1098 Citeaux gegründet		1100–1130 Dom zu Mainz
1115 Tochterkloster Clairvaux, Bernhard 1. Abt 1118 Cisterzienser selbständiger Orden 1120 Praemonstratenserorden (Norbert von Xanten)	{ 1121 Erste (1140 zweite) Verurteilung Abaelards { 1121/22 Sic et non	
1124 Otto v. Bamberg christianisiert Pommern		
	ca. 1140 Decretum Gratiani (Mönch Gratian sammelt kirchliches Recht, Grundstock des Corpus iuris canonici): Neuer Kirchenbegriff. Nach Sohm Ende des Altkatholizismus	ca. 1140 Anfänge der Gotik

POLITISCHE GESCHICHTE	PAPSTTUM	KIRCHENGESCHICHTE

POLITISCHE GESCHICHTE

1142ff. Ostelbischer Staat Heinrichs d. Löwen

1152–1190 Friedrich I. Barbarossa

1153 Vertrag zu Konstanz (Friedrich verspricht Schutz, Eugen III. d. Kaiserkrönung)
1155 Reichstag zu Besançon (neuer Bruch mit dem Papst)
1158 Reichstag auf den ronkalischen Gefilden
1167 Einnahme Roms
Pest (Reinald v. Dassel †)
1176 Schlacht bei Legnano (Bruch Heinrichs d. Löwen mit Barbarossa)
1180 Sturz Heinrichs d. Löwen u. Verbannung
1183 Friede von Konstanz (Lombardische Städte)

1164 Kampf Heinrichs II. von England um die königliche Kirchenhoheit
1170 Thomas Becket, Erzbischof von Canterbury, ermordet
1215 Magna Charta in England

1190–1197 Heinrich VI.

{ 1198–1208 Philipp v. Schwaben
{ 1198–1215 Otto IV.

1208 Philipp v. Schwaben ermordet

1214 Schlacht bei Bouvines. Niederlage Ottos IV.

1215–1250 Friedrich II.

1227 Dschingis Khan †

1241 Schlacht bei Liegnitz. Umkehr der Mongolen
2. Hälfte des Jh.s Städtebund (seit 1358: dt. Hanse)
1250–1254 Konrad IV.

1256–1273 Interregnum

1268 Konradin hingerichtet
1273–1291 Rudolf I. v. Habsburg
1285–1314 Philipp d. Schöne v. Frankreich

PAPSTTUM

1153–1154 Anastasius IV.
1154–1159 Hadrian IV.

1159–1181 Alexander III.
{ 1160 Barbarossa gebannt
{ 1160 Gegenpapst Viktor IV.
1177 Friede zu Venedig: Barbarossa erkennt Alexander III. an
1179 3. ök. Laterankonzil (Papstwahldekret zur Vermeidung v. Schismen)

1198–1216 Innozenz III.
Vormundschaft über Friedrich II.

1213 England päpstliches Lehen (Joh. ohne Land)

1215 IV. ök. Laterankonzil
(Beichte, bischöfliche Inquisition Transsubstantiation)
1216–1227 Honorius III.

1227–1241 Gregor IX.
1227 Friedrich II. gebannt
1228 Friedrich II. erneut gebannt
1230 Friede zu Ceperano (Friedrich vom Banne gelöst)

1231 Päpstliche Inquisition

1239 Friedrich II. gebannt (Streit wegen Lombardei)
1243–1251 Innozenz IV.
1245 Friedrich II. auf dem Konzil zu Lyon gebannt

1274 Konzil zu Lyon
Union mit den Griechen
(1281 erneut Schisma)

KIRCHENGESCHICHTE

Kreuzzüge Fortsetzung
Kreuzzugspredigt Bernhards v. Clairvaux
1147–1149 2. Kreuzzug (Niederlage vor Damaskus)
1147 mißglückter Wenden-Kreuzzug

1189–1192 3. Kreuzzug. Eroberung von Akkon. Tod Barbarossas
1190 Deutscher Orden gegründet (1198 Ritterorden)

1202–1204 4. Kreuzzug. Eroberung von Konstantinopel. Errichtung eines lateinischen Kaisertums dort (-1264)

1218–1221 Kreuzzug unter Führung eines päpstlichen Legaten. Damiette, Ägypten

1227 Kreuzzug abgebrochen (Pest)
1228/29 5. Kreuzzug. Friedrich II. König v. Jerusalem
1230 Deutscher Orden in Preußen
1248-1254 6. Kreuzzug, erfolglos
1270 7. Kreuzzug, ohne Erfolg
1291 Fall von Akko, Ende der Kreuzzüge

1260 Geislerwallfahrten in Italien

KIRCHENGESCHICHTE	THEOLOGIE	GEISTES- U. KULTURGESCHICHTE
ca. 1140 Katharer in Südfrankreich	1141 Hugo v. St. Viktor † (Areopagitische Mystik) 1142 Abaelard †	
1147 Arnold von Brescia in Rom (*Armutsbewegung*)	ca. 1150 *Petrus Lombardus, Sentenzen*	2. Hälfte des 12. Jh.s: Umbau des Doms zu Speyer, Neubau des Doms zu Worms
1153 *Bernhard v. Clairvaux* †		
1155 Arnold v. Brescia verbrannt		1158 Otto v. Freising † (De duabus civitatibus, Gesta Friderici)
1176 Bekehrung des Valdes (Waldenser)	1179 Hildegard v. Bingen †	
1185 Christianisierung Livlands		
1201/2 Joachim v. Fiore (Floris) † 1209–1229 Albigenserkriege		{ 1198 Averroes † (Aristoteles-Kommentare) { 1198 Hartmann v. Aue, Armer Heinrich vor 1200 *Universität Paris* ca. 1200 Nibelungenlied

1209 *Franz v. Assisi* beginnt mit einigen Genossen d. Wanderpredigt	1209 Lat. Averroismus verurteilt (Pariser Aristoteliker)	1210 {Wolfram v. Eschenbach, Parzival {Gottfried v. Straßburg, Tristan
1215 Verbot von Ordensgründungen 1216 *Dominikanerorden* bestätigt ca. 1220 Ausbreitung der Beginenbewegung (Lüttich, Niederrhein) 1223 Franziskaner-Orden bestätigt (Regula bullata) 1226 Franziskus †	1215 Aristoteles (Metaphysik) verurteilt	
1230 ff. Kampf der Kurie gegen Franziskaner-Spiritualen 1323 Lehre von der Armut Christi verurteilt, Widerstand des Minoritenordens (bis 1329)		1. Hälfte des 13. Jh.s Hochgotik in Frankreich ca. 1230 Walther v. d. Vogelweide †

um 1260 Höhepunkt des Joachimismus (apokalyptische Strömung)	*Hochscholastik* seit ca. 1230 Kenntnis des griechischen Aristoteles 1245 Alexander v. Hales † (O. F. M. Paris) 1245 Albertus Magnus (O. P. 1280 †) Lehrer in Paris und Köln 1255 Aristotelesvorlesungen in Paris ca. 1270 *Joh. Duns Scotus* O. F. M. geb. († 1308) 1274 *Thomas v. Aquino* † (via antiqua) O. P. 1274 Bonaventura † (Franziskanergeneral)

POLITISCHE GESCHICHTE	PAPSTTUM	KIRCHENGESCHICHTE
1291 Beginn der Eidgenossenschaft		
1292–1298 Adolf v. Nassau	*1294–1303 Bonifatius VIII.*	
	1296 Bulle „Clericis laicos infestos"	
1298–1308 Albrecht I.	(gegen Besteuerung des Kirchengutes)	
	1300 1. Heiliges Jahr	
	1302 Bulle „Unam sanctam" (Zwei-Schwerter-Theorie)	
	1303 Bonifatius VIII. gefangen und †	

III. RENAISSANCE, REFORMATION
1. Verfall der Papstkirche

POLITISCHE GESCHICHTE	PAPSTTUM	KIRCHENGESCHICHTE
	1305–1314 Clemens V.	
1308–1313 Heinrich VII. (Luxemburg)	*1309–1377 Päpste in Avignon*	
	1312 Konzil zu Vienne: Aufhebung des Templerordens	
{ 1314–1347 Ludwig d. Bayer	1316–1334 Johann XXII.	
{ 1314–1330 Friedrich d. Schöne		
	1323 Lehre von der Armut Christi verurteilt	
1324 Sachsenhäuser Appellation	1324 Ludwig gebannt	
1328 Kaiserkrönung Ludwigs — ohne Papst!		
1338 Kurverein zu Rense (Königswahl ohne päpstliche Bestätigung)	1329 Prozeß gegen Eckhart	
1339–1453 Krieg zwischen England und Frankreich		
1347–1378 Karl IV. (Luxemburg)		
1356 Goldene Bulle (Königswahl durch 7 Kurfürsten)		
1358 Bauernaufstand in Frankreich		

		Reformbewegungen
	1377 Gregor XI. verlegt die Kurie wieder nach Rom	1363 John Wiclif Prof. in Oxford
		1377 Wiclif in London verurteilt
1378–1400 Wenzel (König)	*1378–1415 Schisma zwischen Avignon und Rom*	1381 Wiclifs Thesen gegen die Transsubstantiation
		1384 *Wiclif †* (Engl. Übersetzung des NT, Trialogus)
1389 Die 3 nordischen Reiche unter dänischer Krone		1401 Verfolgung der Lollarden (Wiclifiten) in England
(1397 Union zu Kalmar)		seit 1380 Konzilsbewegung
1389 Türken erobern Serbien (Schlacht auf d. Amselfelde)		ca. 1380 Brüder vom gemeinsamen Leben *(Devotio moderna)*
1400–1410 Ruprecht (v. d. Pfalz)		
1410–1437 Sigismund (Brandenburg)	1409 Gregor XII. Rom	
1410 Deutscher Orden bei Tannenberg geschlagen	Benedikt XIII. Avignon	1410 Konzil zu Pisa (Reform mißlungen)
	Alexander V. Mailand	1412 Joh. Hus in Prag verurteilt
1415 Hohenzollern in Brandenburg		*1414–1418 Konzil zu Konstanz (Hus 1415 verbrannt;* Schisma beendigt)
1424–1431 Jeanne d'Arcs Wirksamkeit	1415 Ende des Schismas	
1419–1436 Hussitenkriege; — 1434 Sieg der Utraquisten über die Taboriten.	1417–1437 Martin V.	
Georg Podiebrad (1448–1471) schützt Utraquisten		*1431–1449 Konzil zu Basel* (Prager Kompaktaten: Laienkelch). 1437 Spaltung (→ Ferrara)
1440–1493 Friedrich III.	1437/9 Konzil in Ferrara, Florenz: Union mit den Griechen — nicht durchgeführt	
		1448 Wiener Konkordat (Reformen verhindert)
		seit 1450 Reform verschiedener Orden (1439 Bursfelder Kongregation)
1453 Fall Konstantinopels		
1466 (zweiter) Friede zu Thorn (Westpreußen polnisch)	1458–1464 Pius II. (Enea Silvio Piccolomini)	*1457 bzw. 1467 Böhmisch-mährische Brüder-Unität*

KIRCHENGESCHICHTE	THEOLOGIE	GEISTES- U. KULTURGESCHICHTE
	1283 Mechthild v. Magdeburg † (Mystikerin im Kloster Helfta)	1290 Ausweisung der Juden aus England (–1655)
	1294 Roger Bacon (O. F. M) † (Aristoteles, Augustin)	
	1260(?)–1327 Eckhart	

UND GEGENREFORMATION
und Reformbestrebungen

KIRCHENGESCHICHTE	THEOLOGIE	GEISTES- U. KULTURGESCHICHTE
	1308 Duns Scotus †	
		1321 Dante †
	bis 1324 Wilhelm v. Ockham (O. F. M.) Prof. in Paris (seit 1328 in München), via moderna, Nominalismus (ca. 1350 †)	1324 Marsilius v. Padua u. Joh. v. Jandun: Defensor pacis (1326 Ludwig d. Bayern vorgelegt)
		1341 Petrarca zum Dichter gekrönt († 1374)
1348 Geißlerzüge in Europa (Vincentius Ferrer)	1349 Thomas v. Bradwardina † (Thomist, antipelagianisch, Oxford)	1348 Universität Prag
		ca. 1350 Beginn der dt. Spätgotik
	1361 Joh. Tauler O. P. †	
	1366 Heinrich Seuse O. P. †	1365 Universität Wien
	1384 Gert Groote † (Begründer der devotio moderna)	1380–1400 Marienburg (Remter)
		1386 Universität Heidelberg
		1388 Universität Köln
		1392 Universität Erfurt
	vor 1400 Theologia deutsch (Frankfurt, Mystik)	1400 Joh. v. Saaz: Der Ackermann aus Böhmen
	1400 Reformtheologie in Paris Pierre d'Ailli († 1420) u. Gerson († 1429) (Konziliarismus)	
1414–1418 Konzil zu Konstanz (Höhepunkt des Konziliarismus)		
1437/9 Konzil zu Ferrara-Florenz		ca. 1440 Christl. Platonismus in Florenz
		1441 Jan van Eyck † (Genter Altar)
		ca. 1445 Buchdruck (Joh. Gutenberg)
	nach 1450 via antiqua (Thomismus und Skotismus) neben via moderna (Ockhamismus)	1452–1519 Leonardo da Vinci
		1455–1522 Reuchlin
		1457 Laurentius Valla † (Donatio Constantini Fälschung)
	1464 Nikolaus v. Cues †	*1466 Erasmus geb.*
	1471 Thomas a Kempis † (Imitatio Christi)	1475 Michelangelo geb.
		1477 Universität Tübingen

POLITISCHE GESCHICHTE	PAPSTTUM	KIRCHENGESCHICHTE
	1481 ff. Inquisition in Spanien (gegen Waldenser, Katharer, Juden und Mauren)	
1485 Wettiner Teilung (Ernestiner-Albertiner) 1486–1525 Kurfürst Friedrich d. Weise		
1492 Columbus entdeckt Amerika	1492–1503 Alexander VI.	1493 ff. Mission (z. T. unter Zwang) in Mittel- und Südamerika
1493–1519 Maximilian I. 1496 Reichskammergericht 1499 Friede zu Basel (Eidgenossenschaft unabhängig)	1498 Savonarola verbrannt	

2.

POLITISCHE GESCHICHTE	KATHOLIZISMUS	KIRCHENGESCHICHTE / THEOLOG.
1500 Reichsregiment		*Luther* 1501 Luther in Erfurt 1505 Eintritt in das Augustiner-Eremitenkloster in Erfurt (Occamist)
	1503–1513 Julius II. (Ablaß zum Bau der Peterskirche)	1508/09 Luther in Wittenberg (Augustin) 1510/11 Reise nach Rom 1512 Professor in Wittenberg *1515 reformatorische Wende* (justitia Dei) *(sonst 1518/19)*
1509–1547 Heinrich VIII. von England		
	1512–1517 5. Laterankonzil (Konziliarismus verdammt) 1513–1521 Leo X.	1513/14 1. Psalmenvorlesung 1515/16 Römerbriefvorlesung
1515–1547 Franz I. von Frankreich	1516 Konkordat Franz I. mit Leo X.	*1517 (31. X. oder 1. XI.) 95 Thesen* 1517/18 Hebräerbriefvorlesung 1518 Heidelberger Disputation
	1517/18 Luther in Rom angezeigt 1518 Luther nach Rom vorgeladen (im August in contumaciam verurteilt)	1518 Verhör in Augsburg (Cajetan) 1519 (Jan.) Miltitz in Altenburg. 4.–14.7. Leipziger Disputation (Eck)
1519–1556 Karl V. 1519 ff. Eroberung Mexikos	1519 Universität Löwen verdammt Luthers Lehren *1520 Bannandrohungsbulle (15. 6.) gegen Luther*	1520 Verbrennung der Bannandrohungsbulle (10. 12.) Reformationsschriften
1521 Reichstag zu Worms (Wormser Edikt, Reichsacht über Luther) 1521–1526 1. Krieg Karls V. mit Frankreich	1521 (3. Jan.) Bannbulle in Rom ausgestellt	1521 (17./18.4.) Luther in Worms *1521/22 (3.3.) Auf der Wartburg (NT Deutsch)*
1522 und 1524 Reichstage in Nürnberg (Wormser Edikt bekräftigt) 1523 Erhebung der Reichsritter (Sickingen)	1522–1523 Hadrian VI. drängt auf Durchführung des Wormser Edikts	
1524–1525 Bauernkrieg	1523–1534 Clemens VII. (Mediceer, weltlich Gegner des Konzils)	
1525 Ordensland Preußen polnisches Lehnsherzogtum 1525 Schlacht bei Pavia Franz I. besiegt *1526 1. Reichstag zu Speyer* (Reformation Reichsständen anheimgestellt) 1526 Schlacht bei Mohacz (Türken in Budapest) 1527–1529 2. Krieg Karls V. mit Frankreich		1525 Bauernschriften Wider d. himmlischen Propheten De servo arbitrio *1525 Heirat* mit Katharina v. Bora 1526 ff. Visitation in Kursachsen 1526 Deutsche Messe *1526 ff. Abendmahlsstreit* mit Zwingli
1529 2. Reichstag zu Speyer (Aufhebung v. Speyer 1526, „Protestation")		*1529 Luthers Katechismen*

KIRCHENGESCHICHTE	THEOLOGIE	GEISTES- U. KULTURGESCHICHTE
1483 (?) (10.11.) Martin Luther geb.	Reformtheologen am Niederrhein: Joh. v. Goch, Joh. v. Wessel, Wessel Gansfort	1483 Raffael geb.
1484 (1.1) Huldrych Zwingli geb.		
1497 Melanchthon geb.	1495 Gabriel Biel †	1494 Giovanni Pico della Mirandola †
		1499 Marsilio Ficino † (Quellenstudium, „ad fontes")

Reformation

KIRCHENGESCHICHTE / THEOLOGIE		GEISTES- U. KULTURGESCHICHTE
		1502 Universität Wittenberg
		1503 Erasmus: Enchiridion militis Christiani
	Schweiz	1505 Hutten aus dem Kloster
	1506 Zwingli Pfarrer in Glarus (humanistisch-national)	1506–1667 Peterskirche in Rom
	1509 Calvin geb.	
		1510 Reuchlinsche Fehde (Pfefferkorn, Erhaltung der jüdischen Literatur)
		1514 Macchiavelli: Il principe
	1516–1518 Zwingli Leutpriester in Einsiedeln (Erasmus)	1515 Epistulae obscurorum virorum
		1516 Erasmus: Ausgabe des griechischen NT
1518 Heidelberg: Brenz u. Bucer luth.		
1518 Melanchthon in Wittenberg		
	1519 Zwingli Leutpriester am Großmünster in Zürich. Pesterlebnis (Wandlung zum Reformator)	
1521 Melanchthon: Loci communes		
1521 Heinrich VIII. schreibt gegen Luthers Sakramentslehre		
1521 Thomas Müntzer aus Zwickau vertrieben	1522 Zwinglis heimliche Ehe	
1522 Karlstadts Reformation in Wittenberg, Zwickauer Propheten	1522 Zwingli gegen fremden Solddienst u. Krieg. „Von Erkiesen und Freiheit der Speisen"	
1524 Reformation in Straßburg (Bucer)	1523 1. Zürcher Disputation (67 Schlußreden). Reformation in Zürich, Bildersturm-Streit mit den Wiedertäufern (bis 1527)	1524 Erasmus: Diatribe de libero arbitrio
1524 Karlstadt aus Kursachsen vertrieben		
1525 Thomas Müntzer bei Frankenhausen besiegt, hingerichtet	1525 Zwingli: De vera ac falsa religione commentarius	
1525 Preußen evangelisch (Albrecht von Brandenburg) Beginn der Reformation in Polen		
1526 Reformation in Hessen		
1527–1537 Antinomistischer Streit (Agricola–Melanchthon)		
1527 Reichstag zu Odense (Duldung der Lutheraner in Dänemark) Reformation in Schweden (Gustav Wasa)	1526 ff. Abendmahlsstreit mit Luther (Zwingli-Oekolampad)	
1528 Melanchthon: Unterricht der Visitatoren	1528 Reformation in Bern	1528 Dürer †
1528 ff. Bugenhagens Kirchenordnungen	1528/29 Städtebund: Zwinglis politische Tätigkeit auf dem Höhepunkt	
1528 ff. Sebastian Franck (Spiritualismus)		
1529 ff. Kaspar Schwenckfelds Wirksamkeit (spirit.-myst. Frömmigkeit)	1529 Marburger Religionsgespräch. Zwingli: De providentia Dei	

POLITISCHE GESCHICHTE	KATHOLIZISMUS	KIRCHENGESCHICHTE / THEOLOG.
		Luther
1529 Türken vor Wien		*1529 (1.–4.10.) Marburger Religionsgespräch*
1530 Reichstag zu Augsburg		1530 Auf der Coburg während des Reichstages
1532 Nürnberger Anstand (Duldung der Protestanten bis zum Konzil)		
	1533 Ehescheidung Heinrichs VIII. abgewiesen	
1534 Suprematsakte in England (König Oberhaupt der Kirche)	1534–1549 Paul III. (Farnese, Nepotismus) 1534 Anfänge der Societas Jesu (wachsender Einfluß d. Reformpartei)	1534 Deutsche Bibel
1536–1538 3. Krieg Karls V. mit Frankreich		*1536 Wittenberger Konkordie* 1537 Schmalkaldische Artikel an den Kurfürsten übergeben
1539 Frankfurter Anstand (geringe Zugeständnisse Karls V.)		1539 Beichtrat für Philipp v. Hessen (Doppelehe) 1539 „Von Konziliis und Kirchen"
	1540 Jesuitenorden bestätigt	1541 Wider Hans Worst (Herzog Heinrich d. J. v. Braunschweig-Wolfenbüttel)
1542–1544 4. Krieg Karls V. m. Frankreich	1542 Päpstliche Inquisition erneuert („Sanctum officium") 1542–1552 Mission des Franz Xavér S. J. in Ostindien, Japan. Kath. Kirche seitdem *Welt*kirche	
1546–1547 Schmalkaldischer Krieg (Besetzung Kursachsens)	*1545–1563 Konzil zu Trient* (1. Phase 1545–1547)	*1546 (18.2.) Luther †* in Eisleben
1547–1553 Edward VI. v. England		
1548 Reichstag zu Augsburg (Interim)		
	1550–1555 Julius III.	
1552 Passauer Vertrag (Moritz v. Sachsen zwingt Karl V. zur Duldung der Stände Augsb. Confession)	1551/2 Tridentinisches Konzil 2. Phase 1552 Collegium Germanicum (Rom) gegr.	
1555 Augsburger Religionsfriede (cuius regio, eius religio; „Sakramentierer" ausgeschlossen)	1553–1558 Katholische Reaktion in England (Maria Tudor)	

3. Der Kampf der Konfessionskirchen

POLITISCHE GESCHICHTE	KATHOLIZISMUS	Luthertum
1556–1564 Ferdinand I.	1555–1559 Paul IV. 1556 Ignatius von Loyola †	1556–1560 Synergistischer Streit (Flacius–Pfeffinger u. Strigel)
1556–1598 Philipp II. von Spanien (Höhepunkt der Gegenreformation)	1559 ff. Gegenreformation in Bayern	1556 ff. Streit um den Tertius usus legis
1558–1603 Elisabeth von England	1559–1565 Pius IV.	1559 ff. Magdeburger Zenturien (Flacius) 1559 Gr. württemb. Kirchenordnung (Brenz) *1560 Melanchthon †* 1560 Erbsündenstreit 1561 Kurland evangelisch
	1561–1563 Konzil zu Trient 3. Phase	1562 Bistum Halberstadt evangelisch

Schweiz

KIRCHENGESCHICHTE / THEOLOGIE	Schweiz	GEISTES- U. KULTURGESCHICHTE
1530 Confessio Augustana (26.6.) und Apologie (Melanchthon) (Tetrapolitana)		
1531 Schmalkaldischer Bund, oberdeutsche Städte aufgenommen	*1531 Zwingli fällt* bei Kappel (Krieg mit den kath. Kantonen)	
1533 Reformation in Münster	1531 Oekolampad †	
1535 Katastrophe des Täufertums in Münster	1534 Calvin in Basel	
1536 Einigung der Wittenberger mit Bucer (Wittenberger Konkordie)	*1536 Calvin: Institutio*	1536 Faber Stapulensis † (Paris, *1536 Erasmus †*
1536 Reformation in Dänemark (Bugenhagen)	1536 Confessio Helvetica prior	
seit 1536 Reformation in Norwegen	1536–38 Calvin in Genf	
	1538–1541 Calvin in Straßburg	
1539 Wittenberger Konsistorium		
1539 Reformation im Herzogtum Sachsen und in Brandenburg		
1539 Livland und Estland lutherisch		
1540 Confessio Augustana variata		
1541 Religionsgespräch in Regensburg (Eck und Melanchthon)	1541 Karlstadt † (Prof. in Basel)	1541 Paracelsus †
	1541 Calvin wieder in Genf (Ordonnances ecclésiastiques = Kirchenzucht)	
1542 Vertreibung Heinrichs d. J. durch den Schmalk. Bund: Reformation in Braunschweig-Wolfenbüttel.		
		1543 Kopernikus: De revolutionibus orbium coelestium
1545 Reformation in Siebenbürgen (Joh. Honter)		
	1547 Hinrichtung Jacques Gruets in Genf (Hochverrat und Blasphemie)	
1549ff. Adiaphoristischer Streit (Interim) Flacius Illyricus und Melanchthon	1549 Consensus Tigurinus (Heinrich Bullinger und Jean Calvin)	
1549 Book of Common Prayer (Thomas Cranmer, Canterbury)		
1550ff. Osiandrischer Streit (Osiander gegen die forensische Rechtfertigungslehre)		
1551ff. Majoristischer Streit (Notwendigkeit guter Werke, Nik. v. Amsdorf u. Georg Major)		
1552ff. Zweiter Abendmahlsstreit (Lutheraner [Joachim Westphal] gegen Calvin)		
	1553 Michael Servet in Genf verbrannt (Antitrinitarier)	
	1555 Sieg Calvins über die Opposition in Genf	

um ihren Bestand (Gegenreformation)

	Calvinismus	
	1556 Johann a Lasco wirkt in Polen (1560 †)	1556–1560 Heidelberger Schloß
	1559 Calvin: Institutio (3. Ausg.)	
	1559 Genfer Akademie	
	1560 Pfalz reformiert	
	1560 Schottische reformierte Staatskirche	
1561 Menno Simons †		
1561 Kaspar Schwenkfeld †		
	1562–1598 Kampf der Hugenotten um Duldung	

POLITISCHE GESCHICHTE	KATHOLIZISMUS	KIRCHENGESCHICHTE / THEOLOG.
		Luthertum
	1562–1598 Unterdrückung d. Hugenotten in Frankreich	
1564–1576 Maximilian II. (ev. gesinnt)	1564 Index librorum prohibitorum, Professio fidei Tridentinae 1564 Dillingen, 1. Jesuitenuniversität in Deutschland (Petrus Canisius)	
1566–1609 Freiheitskampf der Niederlande	1566–1572 Pius V. 1566 Catechismus Romanus	
1567ff. Herzog Alba in den Niederlanden	1567 Michael Bajus, Prof. in Löwen, verurteilt (Augustinismus)	1567 Reformation im Bistum Verden
	1568 Römisches Brevier	1568/69 Braunschweig-Wolfenbüttel evangelisch
1572 Bartholomäusnacht (Coligny ermordet)	1572–1585 Gregor XIII. (Kalenderreform)	
1572 Polen Wahlkönigtum		
1576–1612 Rudolf II. (Förderer der Gegenreformation) 1579 Union der nördlichen 7 ev. Provinzen i. d. Niederlanden (1581 Trennung von Spanien)		*1577 Konkordienformel* (Martin Chemnitz, Jakob Andreä) 1580 Konkordienbuch (luth. Bekenntnisschr.) 1580 Erzbischof Gebhard Truchseß v. Köln wird evangelisch
	1582 Teresa de Jesús † (Mystikerin, unbeschuhte Karmeliter) 1583 Gegenreformation in Köln	1585 Bistum Minden evangelisch
1584 Wilhelm v. Oranien in Delft ermordet	1584 Carlo Borromeo † 1585–1590 Sixtus V.	1585 Reformation im Bistum Osnabrück 1586–1591 Kryptocalvinismus in Kursachsen
	1588–1607 Baronius: Annales ecclesiastici (gegen Magdeburger Zenturien)	1586 Martin Chemnitz † 1588 Valentin Weigel † (Mystik)
1588 Untergang der Armada	1588ff. Molinistischer Streit (Jesuiten u. Dominikaner um d. Gnadenlehre)	
1589–1610 Heinrich IV. v. Frankreich (erst Hugenotte, dann kath.)	1590 Vulgata Sixtina	
	1592–1605 Clemens VIII. 1592 Vulgata Clementina	
1598 Edikt von Nantes	1598 Ausrottung des Protestantismus in Steiermark, Kärnten, Krain	
	1600 Giordano Bruno verbrannt	
1603ff. Stuarts in England (Jakob I.)		
1605 Pulververschwörung in England gegen König und Parlament (kath. Opposition)	1605–1621 Paul V. (Borghese)	1605–1609 Joh. Arndt: Sechs Bücher vom wahren Christentum
1608 Protestantische Union 1609 Katholische Liga 1609 Böhmischer Majestätsbrief (Religionsfreiheit)	1608–1768 Jesuitenstaat in Paraguay	
		1610 Leonhard Hutter: Compendium locorum theologicorum (Wittenberg) *1610ff. Johann Gerhard: Loci theologici* (Jena)
1612–1619 Matthias (Habsburg)		
		1614–1656 Georg Calixt, Prof. in Helmstedt
1618–1648 30jähr. Krieg 1619–1637 Ferdinand II.		
	1621–1623 Gregor XV. (1622 *Congregatio de propaganda fide*). 1621ff. Gegenreformation in Böhmen und Mähren	
1624 Richelieu Kardinal und Minister		1624 Streit zwischen Tübingen und Gießen um die Christologie (Krypsis-Kenosis)
1629 Restitutionsedikt betr. alle seit 1552 eingezogenen geistl. Güter 1630 Landung Gustav Adolfs		

KIRCHENGESCHICHTE/THEOLOGIE		GEISTES- U. KULTURGESCHICHTE
	Calvinismus	
	1563 *Heidelberger Katechismus*	
	1563 *39 Artikel in England*	
	1564 *Calvin †*	
	1564 Kirche unter dem Kreuz am Niederrhein	1564 Michelangelo †
	1566 Confessio Helvetica posterior	
1565 Unitarische Kirche in Polen		
	1566 Synode zu Antwerpen (Calvinistische Nationalkirche, Confessio Belgica)	
	1567 Bildersturm in den Niederland. (Herzog Alba)	
	1567 ff. Puritanische Separation in England (1572 1. puritanische Gemeinde in London)	
1570 Consensus von Sandomir (Union der Luth., Ref. und Böhm. Brüder in Polen)		
1573 Pax Dissidentium in Polen (relig. Toleranz)	1572 John Knox † (Edinburgh)	
		1575 ff. El Greco
		1575 Universität Leiden
		1576 Universität Helmstedt
1579 Sozinianische Kirche in Polen		1579 Monarchomachen (Volkssouveränität, Widerstandsrecht)
	1580 Bremen reformiert	
		1582 Gregorianischer Kalender
1598 Begründung der niederländischen Kolonialmission	1592 Moritz v. Hessen (Kassel) führt das reformierte Bekenntnis ein	1594 Palestrina †
	1598 Duldung der Evangelischen in Frankreich (Edikt v. Nantes)	1600 Giordano Bruno †
		1596–1650 René Descartes
	1604–1619 Arminianischer Streit (Arminius, Grotius, Oldenbarneveldt gegen strenge Prädestination)	
	1610 Remonstranten (= Arminianer, Ablehnung der calvinistischen Prädestinationslehre)	
	1613 Joh. Sigismund v. Brandenburg wird reformiert	1616 William Shakespeare †
	1618 *Synode zu Dordrecht* (Fixierung der Prädestinationslehre. Oldenbarneveldt hingerichtet, Grotius gefangen)	
	1620 *Pilgerväter* (engl. Puritaner) *gründen Massachusetts*	1620 Erste afrikanische Sklaven in Virginia
		1624 *Jakob Böhme †*
	1630 ff. Ludwig Cappellus (Vokalisation der hebr. Texte sekundär) Moyse Amyraldus in Saumur (Universalismus hypotheticus)	1625 Hugo Grotius: De iure belli et pacis
		1630 Kepler †

POLITISCHE GESCHICHTE	KATHOLIZISMUS	KIRCHENGESCHICHTE/THEOLOG.
1631 Schlacht bei Breitenfeld, Tilly geschlagen		*Luthertum (Fortsetzung)*
1632 *Schlacht bei Lützen* Gustav Adolf gefallen		
1635 Friede zu Prag		
1637–1657 Ferdinand III.	1638 Cornelius Jansen † (Jansenismus)	1637 Joh. Gerhard †
1640–1688 *Friedrich Wilhelm* (der Gr. Kurfürst)		
1640 ff. Englische Revolution	1642 Jansen verurteilt	
1643–1715 *Ludwig XIV.*		1645 Calixt in Thorn: Beginn der synkretistischen Streitigkeiten
1648 *Westfälischer Friede* (Deutschland loser Staatenbund von 234 Staaten) Augsburger Religionsfriede auf Reformierte ausgedehnt		1647 *Erste Lieder Paul Gerhardts*

IV.

1. Pietismus

POLITISCHE GESCHICHTE	KATHOLIZISMUS	KIRCHENGESCHICHTE/THEOLOG.
	1656 Blaise Pascal: Lettres provinciales (gegen d. Jesuiten)	
1660 ff. Restauration in England	1660 Vincenz v. Paul † (Caritas)	
		Brandenburg (Union, Pietismus, Aufkl.)
seit 1663 Ewiger Reichstag in Regensburg		1662/63 Berliner Religionsgespräch
		1664 Verbot der Kanzelpolemik
	1669 Pascal: Pensées sur la religion (posthum, jansenistisch)	1666 Amtsniederlegung P. Gerhardts
1683 Türken vor Wien	1682–1693 Gallikanismus (Bossuet)	
	1685 *Aufhebung des Edikts v. Nantes*	1685 Edikt v. Potsdam (Aufnahme der Hugenotten)
1688 Glorious Revolution in England		
		1691 Spener in Berlin
		1694 Universität Halle gegr.
		1695 Franckes Waisenhaus in Halle gegr.
	1696 Michael Molinos † (Quietistische Mystik)	

KIRCHENGESCHICHTE / THEOLOGIE		GEISTES- U. KULTURGESCHICHTE
1631 Religionsgespräch zu Leipzig (Einigungsversuch der Luth. und Ref.) seit 1631 Unionistische Tätigkeit des Schotten Joh. Duräus	*Calvinismus (Fortsetzung)* 1618/9 Synode von Dordrecht	1632–1677 Baruch Spinoza
	1634 Gisbert Voet Prof. in Utrecht (Präzisismus)	1633 Galilei schwört der kopernikanischen Lehre ab 1635 Academie Française (Richelieu) 1636 Harvard Universität in Cambridge (Mass.) *1637 Descartes:* Discours de la méthode
	1640ff. Engl. Revolution: Opposition gegen Absolutismus und Hochkirche	1640 Peter Paul Rubens †
	1643–1647 Westminster Synode (Westm. Confession, presb. Reform)	
1645 Colloquium Charitativum in Thorn (Unionsversuch des polnischen Königs)	1645 John Milton Cromwells Staatssekretär 1648 Cromwell Gewaltherrscher	1645 Hugo Grotius † *1646–1716 Gottfr. W. Leibniz* 1647–1706 Pierre Bayle

NEUZEIT
und Aufklärung

KIRCHENGESCHICHTE / THEOLOGIE		GEISTES- U. KULTURGESCHICHTE
1648 Coccejus: Föderaltheologie	*England* 1648 Herbert of Cherbury † (Deismus) 1649 Karl I. hingerichtet 1649ff. Wanderpredigt des George Fox (Quäker)	
1650ff. Abr. Calov in Wittenberg 1651 Herzog Joh. Friedrich v. Braunschweig-Lüneburg katholisch 1653 Angelus Silesius katholisch 1654 Joh. Valentin Andreä †	1651 Thomas Hobbes: Leviathan (Sensualismus, politischer Schriftsteller) 1653–1658 Cromwell Lordprotector	
1661 Kasseler Religionsgespräch zw. Luth. u. Ref. („Brüder in Christus")	1660 Karl II. (Stuart) Restauration 1662 Wiederherstellung der Episkopalkirche als alleiniger Kirche Latitudinarismus	
1666 Labadie in Middelburg (Separation)		1669 Grimmelshausen, Simplicissimus 1669 Rembrandt †
1675 *Phil. J. Spener : Pia desideria* 1675 Joh. Wilhelm Baier (Prof. in Jena; Natürliche Theologie) 1681 Joh. Musäus (Jena) †	1679 Thomas Hobbes †	1672 Pufendorf: De iure belli et pacis
1687 Aug. Herm. Francke bekehrt	1685–1688 Jakob II. (Stuart) *1688 Sturz der Stuarts (Glorious Revolution)* *1689 Toleranzakte*	
1690 John Eliot †, erster Indianermissionar in Nordamerika	1689/1692 John Locke: Letters on toleration 1694 Pressefreiheit 1695 John Locke: Reasonableness of Christianity 1696 John Toland: Christianity not mysterious	1694 Universität Halle gegründet 1695–1697 Pierre Bayle: Dictionnaire historique et critique

POLITISCHE GESCHICHTE	KATHOLIZISMUS	KIRCHENGESCHICHTE/THEOLOG.
1697ff. Karl XII. v. Schweden		*Brandenburg Forts.* (Preußen)
1697 August d. Starke König v. Polen		
1700–1701 Nordischer Krieg (Ende der schwedischen Großmacht) 1701 Preußen Königreich	1700 Bestrebungen zur Rückgewinnung der Protestanten: Spinola, Bossuet, Leibniz	1700 Gründung der Berliner Akademie (Leibniz)
1701–1714 Span. Erbfolgekrieg		1705 Spener † (als Propst in Berlin)
		1706ff. Chr. Wolff, Prof. in Halle (Wolffianismus)
1713–1740 Friedrich Wilhelm I. v. Preußen	1713 Bulle „Unigenitus" (Verurteilung des Jansenismus)	
	1723 Kirche v. Utrecht (Kath. Kirche Hollands, vom Papst nicht anerkannt)	1723 Christian Wolff aus Halle vertrieben
1725 Peter d. Gr. †		1727 Aug. Herm. Francke † 1728 Christian Thomasius (Prof. in Halle) †
	1731 Vertreibung der Salzburger	
	1733 Polen: Ausschluß aller Protestanten von Staatsämtern	1734ff. S. J. Baumgarten in Halle (theol. Aufklärung)
1740–1780 Maria Theresia 1740–1786 Friedrich II. (d. Gr.)		1740 Wolff nach Halle zurück
1755–1763 Englisch-franz. Krieg (Kanada englisch)		1752 Joh. Sal. Semler Prof. in Halle (Neologie)
1755 Erdbeben in Lissabon		
1756–1763 7jähriger Krieg	1759 Vertreibung der Jesuiten aus Portugal	

Theologische Aufklärung in Deutschland

POLITISCHE GESCHICHTE	KATHOLIZISMUS	*Theologische Aufklärung in Deutschland*
	1763 Febronius: De statu ecclesiae (Erneuerung des Episkopalismus) 1764 Aufhebung des Jesuitenordens in Frankreich 1767 Vertreibung der Jesuiten aus Spanien	1646–1716 G. W. Leibniz 1706ff. Wolffianismus 1752 J. S. Semler Prof. in Halle 1768 H. S. Reimarus † 1769 C. F. Gellert † (Neologie)
1772 1. Teilung Polens	*1773 Aufhebung des Jesuitenordens durch Papst Clemens XIV.*	1771–1775 Semler: Abhandlung von freier Untersuchung des Kanons 1774–1778 Lessing gibt Fragmente eines Ungenannten heraus (Reimarus)
1776 Unabhängigkeitserklärung der USA (4. 7.) *1780–1790 Joseph II.* 1781 Toleranzpatent in Österreich. Josephinismus 1786–1797 Friedrich Wilhelm II.	1786 Universität Bonn (freisinnig) 1786 Emser Punktation (Plan einer unabhängigen dt. Nationalkirche)	1786 A. F. W. Sack † (Neologie)
1789 Französische Revolution	1789 Zusammenbruch der französischen Kirche	1791 J. S. Semler † 1792 K. F. Bahrdt † (Naturalismus)
1792–1797 1. Koalitionskrieg gegen Frankreich 1793 2. Teilung Polens		

KIRCHENGESCHICHTE / THEOLOGIE		GEISTES- U. KULTURGESCHICHTE
1697 August d. Starke katholisch	1730 M. Tindal: Christianity as old as the creation (Hauptwerk des Deismus)	
1699 Gottfried Arnold: Kirchen- und Ketzerhistorie		
	Pietistische Bewegungen	
	1666 Separation Labadies	
	1675 Speners Pia Desideria	
	1687 Bekehrung A. H. Franckes	
	1700–1760 Graf Zinzendorf	
		1701 Yale-Universität gegr. in New Haven (Conn.)
	1703–1791 John Wesley (Methodismus)	
1706 Beginn der dänisch-hallischen Mission in Ostindien		
1707 David Hollaz: Examen theologicum acroamaticum		1710 Leibniz, Theodizee
	1722 Herrnhut gegr. (Zinzendorf)	
1718–1722 Valentin Ernst Löscher: Timotheus Verinus (antipietistisch)		1726 Frauenkirche in Dresden
	1727 Brüder-Unität	1726–1728 Voltaire in England
		1729 Bach: Matthäuspassion
	1732 Beginn der Herrnhuter Mission	1729–1781 G. E. Lessing
	1734 Erweckung in Amerika (Edwards)	
	1738 John Wesley bekehrt	
	1739 ff. Methodist. Bewegung	
	1752 Joh. Albr. Bengel †	1748 Klopstock, Messias
	1782 Friedr. Chr. Oetinger †	
	1741–1801 Joh. Kaspar Lavater	1749 Goethe geb.
ca. 1750 Organisation der großen amerikanischen Kirchen (Luthertum: Mühlenberg)		1750 Bach †
	Frankreich	
	1748 de Lamettrie: L'homme machine	1754 Columbia Universität in New York
1755 Joh. Lor. v. Mosheim † (Übergangstheologie)	1751–1756 Encyclopädie (Diderot, d'Alembert)	
1758 J. G. Hamanns Bekehrung	1755 Montesquieu †	1759 Schiller geb.
	1762 J. J. Rousseau: Du contrat social, Émile ou sur l'éducation	
	1770 Dietrich v. Holbach: Système de la nature (Materialismus)	1771 Herder in Bückeburg (1777 in Weimar)
		1774 Goethe, Werther
1776 Illuminatenorden (Deismus)		1776 David Hume †
1780 Christentumsgesellschaft (Gegner d. Aufklärung)	1778 Voltaire †. Rousseau †	
1782 Friedr. Chr. Oetinger †		1781 Kant, Kritik der reinen Vernunft
1786 Joh. Melchior Goeze †		1784 Herder, Ideen zur Philosophie der Geschichte der Menschheit
1788 Wöllnersches Religionsedikt (Verpflichtung auf die Kirchenlehre)	1787 Duldung der Protestanten	1787 Goethe, Iphigenie
1788 J. G. Hamann †	1789 Französische Revolution (Enteignung des Kirchengutes, Auflösung des Orden, Zivilkonstitution des Klerus)	*1791 Religionsfreiheit in Amerika*
1792 ff. Gründung der großen engl. Missionsgesellschaften	1793 Abschaffung der christlichen Zeitrechnung, Kirchensturm	1793 Kant, Religion innerhalb der Grenzen der bloßen Vernunft

POLITISCHE GESCHICHTE	KATHOLIZISMUS	KIRCHENGESCHICHTE/THEOLOG.
1795 3. Teilung Polens		
1797–1840 Friedrich Wilhelm III.	1797 Teilweise Aufhebung des Kirchen-	
1798 Römische Republik	staates	
1799–1802 2. Koalitionskrieg gegen		
Frankreich		
1801 Friede zu Lunéville (Rheingrenze)	1801 Konkordat mit Napoleon	
	(1802 Organische Artikel)	
1803 Reichsdeputationshauptschluß (Säkulari-	1801 Ignaz v. Wessenberg, Generalvikar	
sation der geistlichen Güter)	in Konstanz (nationaler Reform-	
1804 Napoleon I. Kaiser	katholizismus)	
1806 Ende des alten deutschen Reiches		
Jena und Auerstedt		
1807 Friede zu Tilsit (Elbgrenze)		
1807 ff. Stein-Hardenbergsche Reformen		

2. Kirche und Theologie

POLITISCHE GESCHICHTE	KATHOLIZISMUS	KIRCHENGESCHICHTE
1809–1848 Metternich in Wien	1809 Kirchenstaat aufgehoben, Papst ge-	*Preußen (Union usw.)*
	fangen	*1809 ff. Begründung der deutschen Landes-*
		kirchen
1813–1815 Befreiungskriege		1810 Universität Berlin (W. v. Hum-
1814–1815 Wiener Kongreß	1814 Jesuitenorden, Indexkongregation,	boldt). Schleiermacher, Fichte,
Heilige Allianz (Preußen, Österreich,	Inquisition wiederhergestellt	de Wette Proff. in Berlin
Rußland)		1816 Bildung v. Presbyterien, Kreis-
		u. Provinzialsynoden in Preußen
	1817 Konkordat mit Bayern	*1817 Preußische Union*
1819 Karlsbader Beschlüsse (Verbot der	1819 De Maistre: Du Pape	1819 E. M. Arndt, Prof. in Bonn
Burschenschaft)	*(Begründung des Ultramontanismus)*	L. Jahn verhaftet, suspendiert
		1822–1829 Preußischer Agenden-
		streit
		1824 Berliner Missionsgesellschaft
		1826 Hengstenberg Prof. in Berlin
		1826–1877 Tholuck in Halle
	1828 Aufhebung der Testakte in England	
	(Kath. zu pol. Ämtern)	
	1828 Augustin Theiner: Gegen Zölibat	
1830 Trennung v. Holland u. Belgien		1830 Jubiläum d. Conf. Aug.
		(Förderung der Union)
1830 Pariser Julirevolution		1830 Separation der Altlutheraner
	1831–1846 Gregor XVI.	1831 Hegel † (Berlin)
	1832 Joh. Adam Möhler: Symbolik	
1834 Deutscher Zollverein		1834 Schleiermacher †
		1834 Einschränkende Kabinettsordre
		über die preuß. Union
	1835 Klostersturm in Spanien	*1835 Rheinisch-westfälische K. O.*
	1835 Georg Hermes (Prof. in Bonn,	
	Kantianer) verdammt	
1837–1901 Viktoria I. v. England	1837–1838 Kölner Kirchenstreit	
	(Mischehenfrage)	
1840–1861 Friedrich Wilhelm IV.		1840 Schelling in Berlin
		1840 Fr. J. Stahl Prof. in Berlin
		1840 ff. Lichtfreunde
		1841 Ev. luth. Kirche in Preußen
		anerkannt

KIRCHENGESCHICHTE/THEOLOGIE		GEISTES- U. KULTURGESCHICHTE

	Frankreich Forts. 1795 Religionsfreiheit	
1799 Schleiermacher: Reden ,,Über die Religion"	1799 Napoleons Staatsstreich	1798 Pestalozzis Schultätigkeit 1799 Novalis, Christenheit nach 1800 Romantische Dichtung und Philosophie (Schelling)
1801 ff. Gottfried Menken in Bremen (Erweckung)	1801 Konkordat Napoleons mit der Kurie (Wiederherstellung der kath. Kirche)	
		1805 Schiller †
		1808 Goethe, Faust I

im 19. Jahrhundert

KIRCHENGESCHICHTE	THEOLOGIE	GEISTES- U. KULTURGESCHICHTE
1800 ff. Nationalisierung des Christentums in vielen Ländern		
1810 Zusammenschluß der Missionsfreunde in USA zum American Board of Commissioners of Foreign Missions	ca. 1810 letzte Rationalisten: Paulus, Wegscheider	
1815 Basler Missionsverein		1814 Stephenson: Lokomotive
1817–1827 Union in Nassau, Preußen, Hessen, Pfalz, Baden, Anhalt *1817 Claus Harms, 95 Thesen*		
ca. 1820–1840 Erweckungsbewegung		
1820 Lutherische Generalsynode in Amerika	1821/22 *Schleiermacher, Der christliche Glaube* (1. Aufl.) 1822 De Wette, Prof. in Basel	
	1826–1860 F. Chr. Baur in Tübingen 1826 Tholucks Erweckungstheologie 1828 Theologische Studien und Kritiken 1835 Hengstenbergs evangel. Kirchenzeitung (Konfessionalismus)	1826 ff. Monumenta Germaniae historica 1827 Beethoven †
		1830 ff. Biedermeierzeit
		1832 Goethe, Faust II 1833 Gauß-Weber: Telegraph
1833 Phil. Spitta: Psalter u. Harfe (Erweckungslieder) *1833 ff. Oxford-Bewegung (Traktarianer, Anglokatholiken)* *1833 Joh. H. Wichern: ,,Rauhes Haus"*		1834–1836 Ranke, Päpste
		1835 1. dt. Eisenbahn
1836 Leipziger Mission 1836 Diakonissenhaus Kaiserswerth (Fliedner) *1837 W. Löhe, Pfarrer in Neuendettelsau* 1838 Chr. Blumhardt d. Ä. in Möttlingen (Boll)	1838–1877 J. Chr. K. Hofmann in Erlangen (Heilsgeschichte) 1840/41 D. Fr. Strauß: Glaubenslehre 1840–1888 Al. Schweizer, Prof. in Zürich	1835 ff. Junges Deutschland (Heine, Gutzkow) 1839–1847 Ranke, Reformationsgeschichte
		1841 Feuerbach, Wesen des Christentums
1842 Gustav-Adolf-Verein: Diasporapflege		

POLITISCHE GESCHICHTE	KATHOLIZISMUS	KIRCHENGESCHICHTE
		Preußen Forts.
1844 Weberunruhen in Schlesien	1844 Ausstellung des heiligen Rocks in Trier	
1845 Hungersnot in Schlesien	1845–1849 Deutschkatholizismus	
	1845 Newman (Prof. in Oxford) wird katholisch	
	1846–1878 Pius IX.	1846 Außerordentliche preuß. Generalsynode (Nitzsch, Mißlingen der Bekenntnisunion)
	1846 ff. Ignaz Döllinger: „Die Reformation"	1847 Toleranzpatent für die bestehenden Konfessionskirchen
1847 Kommunistisches Manifest	1847 Ausweisung der Jesuiten aus der Schweiz	
1848 Februarrevolution in Paris (Frankreich Republik). Märzrevolution in Berlin	1848 1. Deutscher Katholikentag (Kath.-Verein)	
1848/49 Nationalversammlung in der Paulskirche	1848 Zentrum (kath. Fraktion in der Nationalversammlung)	
1850 Preußische Verfassung (2 Kammern, Dreiklassenwahlrecht)	1850 Zulassung der Jesuiten in Frankreich	1850 Gemeinsamer ev. Oberkirchenrat in Berlin (für Konfessionen: Itio in partes)
	um 1850 Gründung von 6 neuen Erzbistümern in Amerika	
1850 Vertrag von Olmütz (Preußen–Österreich)	1850 Rückkehr Pius IX. aus Gaëta nach Rom (fortan d. Liberalismus feindl.)	
1850 ff. Reaktionäre Politik in Preußen und Österreich	1850 ff. Giovanni Perrone (S. J. Neuscholastik)	
	seit 1850 Civiltà cattolica (Organ der Jesuiten)	
	seit 1850 kath. Vereinswesen	
1851 Staatsstreich Louis Napoleons	1851 Konkordat mit Spanien	
1852–1870 Napoleon III. Kaiser	1852 1. Amerikanisches Nationalkonzil	
	1854 Verkündigung der „Immaculata conceptio"	
	1855 Konkordat mit Österreich (kirchliches Schulwesen)	
	1855 ff. Hefele: Konziliengeschichte	
1861–1888 Wilhelm I.		
1861 Italien Königreich		
1861–1865 Bürgerkrieg in Nordamerika		
1862 Bismarck preußischer Ministerpräsident	1863 Ernest Renans: „Vie de Jesus"	
1864 Krieg Preußens und Österreichs gegen Dänemark	1864 „Syllabus" (80 Irrtümer des Modernismus verdammt)	
1866 Krieg zwischen Preußen und Österreich; Annexion Hannovers		
1866 Nationalliberale Partei		
1868 Japan moderner Staat		
1869 Sozialdemokratische Partei	1869 Döllinger: Janus (gegen die Unfehlbarkeit des Papstes)	
	1869–1870 *Concilium Vaticanum* Infallibilität und Universalepiskopat des Papstes. Ende des Kirchenstaates	
1870–1871 Deutsch-franz. Krieg	seit 1870 Herrschaft der Neuscholastik	*Kulturkampf*
1871 Deutsches Kaiserreich	1871 Altkatholische Kirche (Bann über Döllinger)	1871 Zentrumspartei (Windthorst)
		1871 Kanzelparagraph (Mißbrauch d. Kanzel zur Politik)
		1872 Jesuitengesetz (Verbot des Ordens im dt. Reich)
		1873 4 „Maigesetze" (Preußen) betr. kirchliche Straf- u. Zuchtmittel
		1873 Brief Pius IX. an Kaiser Wilhelm I. (Anspruch auf alle Getauften)
		1874 Attentat auf Bismarck
		1875 Pius IX. erklärt die Maigesetze für nichtig
		1875 Zivilstandsgesetze (Zivilehe, Aufhebung des Taufzwanges)

KIRCHENGESCHICHTE	THEOLOGIE	GEISTES- U. KULTURGESCHICHTE
	1843–1878 J. T. Beck in Tübingen (Biblizismus)	
	1843 Sören Kierkegaard: Entweder-Oder	
1844 Grundtvig (Nationalkirche, Volkshochschule)		
1845 Verbot der Lichtfreunde in Sachsen		1845 Feuerbach: Wesen der Religion
1846 Missionsanstalt in Neuendettelsau		
1847 Missourisynode		
1848 Kirchentag zu Wittenberg: Innere Mission (Joh. H. Wichern)		
1849 Hermannsburger Mission		
1850 Organisation des Luthertums in Amerika	1850–1885 E. Biedermann, Prof. in Zürich (Hegelianer)	nach 1850 Materialistische Philosophie (Moleschott, Vogt, Büchner)
	Luth. Auseinandersetzungen um Kirche und Amt (Th. Harnack, Harleß, Kliefoth, Löhe, Vilmar u. a.)	
1852 ff. Eisenacher Kirchenkonferenz (gemeinsame Beratung ev. Kirchenleitungen in Deutschland)		
1854 Diakonissenhaus Neuendettelsau (Löhe)		1854 Jer. Gotthelf †
1854 Herberge zur Heimat (Klemens Perthes, Bonn)	*1855 Kierkegaard †*	1854/56 Mommsen, Römische Geschichte
	1855–1858 Aug. Vilmar Prof. in Marburg (Theologie der Tatsachen)	1857 Aug. Comte † (Positivismus, Soziologie)
		1859 Darwin: Entstehung der Arten
		1860 Schopenhauer †, Jak. Burckhardt: Kultur der Renaissance in Italien
	1863 H. Holtzmann (Straßburg) Die synoptischen Evangelien	
	1864–1889 Albrecht Ritschl in Göttingen	
	1866 K. H. Graf: Die geschichtlichen Bücher des AT (Pentateuchkritik)	ca. 1865 Neukantianismus
1867 Bethel gegr. (seit 1872 von Pastor Friedrich v. Bodelschwingh geleitet)		1866–1900 Ibsen, Dramen
		1833–1911 W. Dilthey
1868 Allgemeine ev.-luth. Konferenz		1867/94 K. Marx, Kapital
1869 Victor Aimé Huber † (ev.-soziale Bewegung)		1869 E. v. Hartmann, Philosophie des Unbewußten
	1870/74 Ritschl, Rechtfertigung und Versöhnung	ca. 1870 Franz. Impressionismus
		1872/76 *Nietzsche*, Unzeitgemäße Betrachtungen
1875 Reformierter Weltbund gegr.		
1875 ff. Gemeinschaftsbewegung (Oxford-Bewegung, Heiligungsbewegung)		

POLITISCHE GESCHICHTE	KATHOLIZISMUS	KIRCHENGESCHICHTE
1877/78 Russ.-türk. Krieg	1877/94 Joh. Janssen: Geschichte des dt. Volkes	*Kulturkampf (Fortsetzung)*
1878 Berliner Kongreß		
1878--1890 Sozialistengesetz	*1878–1903 Leo XIII.*	
	1879 Lehre des Thomas v. Aquin Norm	1879 Kultusminister Falk gestürzt
		1880 Zurücknahme der meisten Gesetze
1883–1889 Sozialgesetze Bismarcks		
1884/85 Deutsche Kolonien		1887 Friede. Aufschwung des Katholizismus
1888–1918 Wilhelm II.		*Ev. Sozialpolitik*
		1849 Wicherns Denkschrift zur sozialen Frage
1890 Bismarcks Entlassung	1891 Enzyklika „Rerum novarum" zur Arbeiterfrage	1878 Christl. soziale Arbeiterpartei (Stöcker)
		1890 Evang. sozialer Kongreß (Stöcker)
		1896 National-sozialer Verein gegr. (Friedrich Naumann)
1898 Bismarck †	seit 1898 Los-von-Rom-Bewegung in Österreich (Übertritte aus nationalen Motiven)	1897 Freie kirchlich-soziale Konferenz (Stöcker)
	1903–1914 Pius X.	*Um die Einheit der Kirche*
		1903 Deutscher evangelischer Kirchenausschuß (erwachsen aus der Eisenacher Konferenz)
1904–1905 Japanisch-russischer Krieg	1904 Denifle, Luther und Luthertum	
1905 Russische Revolution	1905 Trennung v. Staat u. Kirche in Frankreich	
	1907 Modernismus verdammt	1908 Federal Council of Churches, Philadelphia, USA
1911/12 Revolution in China (Sun Yat Sen)	1910 Antimodernisteneid	1910 Weltmissionskonferenz in Edinburgh
	1911/12 Hartm. Grisar, Luther (trad. Lutherverleumdung)	
1912/13 Balkankrieg		

3. Die

POLITISCHE GESCHICHTE	KATHOLIZISMUS	KIRCHENGESCHICHTE
1914–1918 1. Weltkrieg	1914–1922 Benedikt XV.	
1916 Wiederherstellung Polens	1914 England errichtet diplomatische Vertretung beim Vatikan	
1917–1924 Lenin	1917 Aufhebung des Jesuitenverbotes in Deutschland	
1917 Russische Revolution	*1917 Codex iuris Canonici*	
1918 Entstehung der Tschechoslowakei		1918 Ende des landesherrlichen Kirchenregimentes
1918 Revolution in Deutschland		
1919 Ebert Reichspräsident		
		1920 ff. Neue Kirchenverfassungen

KIRCHENGESCHICHTE	THEOLOGIE	GEISTES- U. KULTURGESCHICHTE
1878 Ev.-luth. Freikirche in Hermanns-burg (Theodor Harms)	1878 Julius Wellhausen: Prolegomena zur Geschichte Israels	
1878 Adolf Stöcker: Christlich-soziale Arbeiterpartei		1879/94 Treitschke: Deutsche Geschichte im 19. Jh.
1885 Parole in den USA: „Evangelisie-rung der Welt noch in dieser Ge-neration"; gewaltiger Einsatz		1881 Dostojewski †
1886 M. Rade: Die Christliche Welt		1883/84 Nietzsche: Zarathustra
1887 Evangelischer Bund		
1895 Christl. Studentenweltbund (John Mott)		
	1888–1930 Ad. Harnack in Berlin (1900 Wesen des Christentums)	1888 Nietzsche: Antichrist
	1889 Hauck in Leipzig	
	1890 ff. Religionsgeschichtliche Schule	
1892 C. H. Spurgeon †	1892 Joh. Weiß: Die Predigt Jesu vom Reiche Gottes	
1892 Apostolikumsstreit (Christoph Schrempf)	*1892 M. Kähler : Der sog. historische Jesus...*	
	1898–1938 Schlatter in Tübingen	1898 Entdeckung des Radiums
		1900 Nietzsche †
		1900 Max Planck, Quantentheorie
		1900 Impressionismus, Jugendstil. George, Rilke, Th. Mann; Vitalismus
1903 Chr. Blumhardt d. J. in Boll †		seit 1903 Motorflug
		1905 Alb. Einstein, Relativitäts-theorie
1905 Theologische Schule in Bethel gegr.		
	1906 Alb. Schweitzer: Von Reimarus zu Wrede	
1909 Stöcker †	1908 Luthers Römerbrief (J. Ficker)	1908 Allgemeines Frauenstudium
1910 Bodelschwingh †	1908 Soziales Credo in USA	
	1910–1915 The Fundamentals	1910 Leo Tolstoi †
1911/12 Fälle Jatho und Traub (Anwen-dung des preuß. Irrlehregesetzes)		1913 Albert Schweitzer Arzt in Afrika
		1913 Anthroposophie (Rud. Steiner)
		1913 Freideutsche Jugend auf dem Hohen Meißner

Gegenwart

		Niels Bohr: Atommodell
Christenverfolgungen		
1894–1916 Vernichtung des armeni-schen Volkes		
1895–1933 Vernichtung des assyri-schen Volkes	1915 Übergang Troeltschs zur Philosophie	
1917–1943 in Wellen verlaufende Ver-folgungen in Rußland	1917 Rudolf Otto: Das Heilige	1917 ff. Bolschewismus in Rußland
1921/22 Verfolgung oder Vertreibung der Griechen in Kleinasien		1918/22 Oswald Spengler: Der Untergang des Abendlandes
1925–1927 Verfolgung in China	1919 Friedrich Naumann †	seit 1918 Expressionismus, neue Sachlich-keit
1926–1938 Verfolgung in Mexiko		
1931 Kirchen- und Klostersturm in Spanien	1919 Hochkirchl. Vereinigung	

POLITISCHE GESCHICHTE	KATHOLIZISMUS	KIRCHENGESCHICHTE
1919 Friedensverträge. Völkerbund, Weimarer Verfassung		*Um die Einheit der Kirche* (Forts.)
1921–1923 Inflation	1921 Heiligsprechung der Jeanne d'Arc	1921 Gründung des Internationalen Missionsrates
1922 Faschistische Revolution in Italien (Mussolini)	1922–1939 Pius XI.	1922 Dt. Ev. Kirchenbund
1923–1925 Ruhrgebiet besetzt		1923 Luth. Weltkonvent in Eisenach
1923 Mißglückter Putsch Hitlers		
1924–1953 Stalin in Rußland	1924 Konkordat mit Bayern	1925 Weltkirchenkonferenz in Stockholm (Life and Work, Nathan Söderblom)
1925–1934 Hindenburg Reichspräsident		
1925 Locarnoverträge	1925 Jubeljahr (Herz Jesu, hl. Franziskus)	1927 Weltkirchenkonferenz in Lausanne
1926 Deutschland im Völkerbund		
	1928 Mortalium animos (Verbot der Beteiligung an der Ökumene)	1928 Internationale Missionskonferenz in Jerusalem
1929–1931 Weltwirtschaftskrise	1929 Lateranverträge	
1931 Spanien Republik	1931 Quadragesimo anno (zur Arbeiterfrage)	1931 Staatsvertrag mit der preuß. Kirche
	1932 Jesuitenorden in Spanien aufgelöst	
1933–1945 Hitler Reichskanzler	1933 Reichskonkordat (Deutschland)	1933 Dt. Ev. Kirche
1934 Austritt Deutschlands aus dem Völkerbund	1933 Kath. Bibelwerk (Bibelbewegung)	
	1937 Divini redemptoris (gegen den Kommunismus), Ardente cura (gegen den Nationalsozialismus)	
		1937 Weltkonferenz für Prakt. Christentum in Oxford
1939–1945 2. Weltkrieg	1939-1958 Pius XII.	1937 Weltkonferenz von Faith and Order in Edinburgh
	1939 Verfolgung der kath. Kirche in Polen	1938 Vorläufiger Ökumenischer Rat der Kirchen
	1940 A. Loisy † (Modernist, at- und ntliche Kritik)	1938 Internationale Missionskonferenz in Tambaram (Indien); Vertreter der Jungen Kirchen gleichberechtigte Glieder
	1943 Mystici corporis Christi (Kirchenbegriff)	
1945 Potsdamer Konferenz	1945 Span. Verfassung setzt kath. Kirche in die alten Rechte wieder ein	
1945 ff. Zerschlagung Deutschlands Teilung in westl. und östl. Machtbereich	1945 ff. Schwierige Lage der kath. Kirche in Litauen, Polen, Tschechoslowakei, Ungarn, Rumänien, Albanien, Jugoslawien und China; die mit Rom unierten orthodoxen Kirchen zerstört	
1945 Gründung der Vereinten Nationen		
	1946 Graf von Galen † (Bischof von Münster)	1947 Luth. Weltbund in Lund
1947 Unabhängigkeit Indiens und Pakistans		1947 Internationale Missionskonferenz in Whitby (Kanada)
1948 Erklärung der Menschenrechte		1948 Grundordnung der Ev. Kirche in Deutschland (Eisenach)
1948 Währungsreform		1948 Gemeinsame Weltkonferenz von Faith and Order und für prakt. Christentum in Amsterdam. Gründung des *Ökum. Rates der Kirchen*
	1950 Hl. Jahr; Dogma von der leibhaften Himmelfahrt Mariä	
	1950 Humani generis (Abwehr zeitgenössischer Ansichten)	
1949 Bundesrepublik Deutschland Deutsche Demokratische Republik = Teilung Deutschlands		
	1954 Einführung des Festes: Maria Himmelskönigin	1952 Internationale Missionskonferenz in Willingen (Deutschland)
1950-1952 Koreakrieg	1958-1963 Johannes XXIII.	1950 National Council of the Churches of Christ in USA
1955 ff. am. Bürgerrechtsbewegung	1963-1978 Paul VI.	
1960 ff. Afrikan. Kolonien werden unabh. Staaten	1962-1965 Zweites Vatikanisches Konzil	1952 Tagung von Faith and Order in Lund
1961 Mauer in Berlin	1967 Paul VI. bei Athenagoras in Istanbul; Aufhebung des Schismas	1952 Tagung des Luth. Weltbundes in Hannover
1964-1975 Vietnamkrieg	1968 Lateinamerikan. Bischofskonferenz in Medellín: Befreiungstheologie	1954 Vollversammlung des Ökum. Rates in Evanston (USA)
1965 ff. Studentenunruhen	1975 Gebet- und Gesangbuch Gotteslob	
1966-1976 Chines. Kulturrevolution	1978 Johannes Paul I; Johannes Paul II.	
1969 Islam. Revolution im Iran	1983 Revid. Codex Iuris Canonici	
1990 Wiedervereinigung Deutschlands	1984 Karl Rahner †	
1991 Auflösung der Sowjetunion		*Fortsetzung letzte Spalte oben*

KIRCHENGESCHICHTE	THEOLOGIE	GEISTES- U. KULTURGESCHICHTE

Christenverfolgungen (Fortsetzung)
1936–1938 Verfolgung in Spanien
1933–1945 Verfolgung in Deutschld. und in den besetzten Ländern

---

Kirchenkampf in Deutschland
1933–1945 Bekennende Kirche gegen Deutsche Christen, Deutsche Glaubensbewegung und nationalsozialistische kirchenfeindliche Maßnahmen
1934 Bekenntnissynode in Barmen *Theol. Erklärung*
1934 2. Bekenntnissynode in Dahlem. Bestellung einer Vorläufigen Kirchenleitung (VKL)
1936 Rücktritt der ersten VKL
1936 Gründung des Rates der Ev. Luth. Kirche Deutschlands
1937 M. Niemöller verhaftet, ins KZ (1938)
1941 Kirchen im Warthegau auf Vereinsrecht gesetzt
1942 ff. Einigungsversuch von Bischof Wurm
1945 Stuttgarter Schuldbekenntnis
1947 Darmstädter Wort

Christenverfolgungen
1940 ff. Bedrückung der Christen in den von Japan besetzten Gebieten
1944 ff. Unterdrückung der baltischen Völker
1945 ff. und 1966-1976 Neue Verfolgungen in China
1945 ff. Verfolgungen mit wechselnder Intensität auf dem Balkan, in Ungarn, Tschechoslowakei und Polen
1950 ff. Bedrückung der Christen durch den Islam auf Celebes
1971 ff. Uganda
1974 ff. Äthiopien
1989 ff. Südsudan

1942 ff. Communauté de Taizé und weitere ev. Kommunitäten
1945 Kirchenkonferenz von Treysa (Grundlegung der Ev. Kirche in Deutschland u. des Hilfswerkes)
1946 ff. Ev. Akademien
1947 H. Lilje Landesbischof von Hannover
1948 Grundordnung der EKD
1948 Gründung der Vereinigten Ev. Luth. Kirche Deutschlands
1948 ff. Neue Verfassungen der Kirchen der EKU (früher APU) und anderer Kirchen Gesellschaften f. jüd.- christl. Zusammenarbeit
1949 ff. Kirchentage
1950 Ev. Kirchengesangbuch (EKG)
1949—1960 Bischof Dibelius Vorsitzender des Rates der EKD
1953 Bischof Wurm †
ca. 1960 ff. Frauenordination mit uneingeschränkten Rechten
1966 Bekenntnisbewegung 'Kein anderes Ev.'
1969 Bund ev. Kirchen in der DDR (- 1990)
1993 Ev. Gesangbuch (EG)

nach 1918 Liturg. Bewegung(en) (kath. und ev.): 1926 Berneuchener Buch, 1941 Luth. Liturg. Konferenz
1919 Barth: Römerbrief (1. Aufl.)
1919 M. Dibelius: Formgeschichte des Evangeliums
1920 ff. Karl Heim in Tübingen
nach 1920 Auseinandersetzung mit dem dt. Idealismus
1921 Karl Holl: Lutheraufsätze
1921 R. Bultmann: Gesch. der synopt. Tradition
1921 F. Gogarten: Rel. Entscheidung
1923 ff. Dialektische Theologie (Zwischen den Zeiten)
1923 E. Troeltsch †

1932 ff. Barth: Kirchl. Dogmatik (1927 Christl. Dogmatik)
1934 Barmer Theologische Erklärung
1935 Barth in Basel
1938 Barths „kognitive" Tauflehre; neuer Streit um die Kindertaufe

1941 ff. Streit um Bultmanns „Entmythologisierungs"-Programm; Kerygma u. Mythos. Die Hermeneutik wird das theol. Hauptproblem

1948 ff. Offizielle Gespräche zwischen luth., ref. und unierten Kirchen in Deutschland

1957/8 Paul Tillichs systematische Theologie
1958 Gemeinsame Abendmahlserklärung (Arnoldshain)
1965 ff. Basisgemeinden, Befreiungstheologie, 'Polit. Nachtgebet'
1968 Karl Barth †
1973 Leuenberger Konkordie
1974 Konvergenzerklärung von Lima (1978 und 1982 überarbeitet)
ca. 1975 ff. Feminist. Theologie u. weitere kontextuelle Theologien
1976 Rud. Bultmann †
1976 Ök. Vereinigung der Dritte-Welt-Theologen

1999 Gemeinsame ev.-kath. Erklärung zur Rechtfertigung (seit 1997 Streit)
1999 Ev. Gottesdienstbuch

Um die Einheit der Kirche (Forts.)
1957/58 Internat. Missionskonferenz in Achimota (Westafrika): volle Gleichberechtigung der 'Jungen Kirchen'
1961 Vollversammlung des Ökumenischen Rates in Neu-Delhi: Eingliederung des Internationalen Missionsrates in den Ökumenischen Rat. Aufnahme der russisch-orthodoxen Kirche
1968 Vollversammlung des Ökumenischen Rates in Upsala: gesellschaftspolitischer Schwerpunkt, Antirassismusprogramme
1989 ff. Konziliarer Prozeß f. Gerechtigkeit, Frieden u. d. Bewahrung d. Schöpfung

---

1920—1945 Faschismus in Italien
1922 Christengemeinschaft (Rittelmeyer)
1923—1945 Nationalsozialismus in Deutschland
1927 Heidegger: Sein und Zeit Abschluß der Quantentheorie (N. Bohr)
1930 Alfred Rosenberg: Der Mythus des 20. Jh.s
1933 Nationalsozialistische Weltanschauung, Rassenlehre

1938 Otto Hahn: Kernspaltung

1945 Atombombe
1945 ff. Versuch führender Geister auf fast allen Wissensgebieten, eine „Entsäkularisierung" der Wissenschaft herbeizuführen
1946 ff. Anbahnung eines neuen Verhältnisses zwischen Kirche und Sozialdemokratie in Deutschland

1947 K. Jaspers: Der phil. Glaube
1954—1959 E. Bloch: Das Prinzip Hoffnung
1965 Albert Schweitzer †
1970 ff. Bildungsreform (Strukturplan f. d. Bildungswesen)
1972 Club of Rome: Grenzen des Wachstums
1970 ff. Kulturelle und relig. Pluralisierung und Polarisierungen

(Theologie) 1930 Harnack †

Verzeichnis der synoptischen Zeittafeln